Chères lectrices,

Une fois n'est pas coutume : ce ne sont pas les femmes qui jouent les belles énigmatiques dans vos romans de juillet, mais les hommes qui dissimulent leur identité pour agir à leur guise — à moins que ce ne soit pour mieux masquer leurs sentiments. Ainsi, vous découvrirez au fil des pages un faux livreur (Amours d'Aujourd'hui N° 825), un homme qui se fait passer pour son frère (N° 826), un policier en civil qui prétend être employé par un laboratoire de recherche (N° 827)… Mais, à un moment ou à un autre au cours du récit, ces usurpateurs — pour la bonne cause — devront faire la lumière sur leur identité et dévoiler leurs sentiments.

Dans *Le rempart de l'innocence* (N° 828), John McLean, quant à lui, enquête à visage découvert, et la franchise n'est pas la moindre de ses qualités. Bon père, flic courageux et ami dévoué, il est le premier héros d'une toute nouvelle trilogie de Janice Kay Johnson, une série de romans où se mêlent étroitement tendresse, humour et suspense, et qui met en scène trois frères unis par un même amour pour leur famille et leur métier de policier. Jusqu'au moment bien sûr où un coup de foudre va venir chambouler leurs chères habitudes…

Bonne lecture à toutes !

La responsable de collection

Cœur piégé

REBECCA WINTERS

Cœur piégé

AMOURS D'AUJOURD'HUI

*Cet ouvrage a été publié en langue anglaise
sous le titre :*
BENEATH A TEXAS SKY

Traduction française de
ADRIENNE CHAUMONT

HARLEQUIN®

est une marque déposée du Groupe Harlequin
et Amours d'Aujourd'hui®
est une marque déposée d'Harlequin S.A.

Illustration de couverture
©KAZ MORI / GETTY IMAGES

Toute représentation ou reproduction, par quelque procédé que ce soit, constituerait une contrefaçon sanctionnée par les articles 425 et suivants du Code pénal.
© 2002, Rebecca Winters. © 2003, Traduction française : Harlequin S.A.
83-85, boulevard Vincent-Auriol, 75013 PARIS — Tél. : 01 42 16 63 63
Service Lectrices — Tél. : 01 45 82 47 47
ISBN 2-280-07828-7 — ISSN 1264-0409

1.

Tandis qu'il faisait le plein d'essence à la station-service de Fort Davis, sous le soleil implacable de juillet, Jyce Riley entendit un homme l'interpeller.

— Hé, vous, là-bas !

Un olibrius d'une trentaine d'années, trop bien habillé, sortait du garage en courant. A première vue, il n'était pas du genre à dissimuler une arme dans son élégant sac de voyage, mais on n'était jamais sûr de rien.

— J'ai entendu dire que vous montiez à Cloud Rim ?

— C'est ma dernière étape.

Sa stratégie fonctionnait parfaitement : ce type le prenait pour un livreur, grâce à sa fourgonnette, alors qu'il était en mission secrète en sa qualité de capitaine de gendarmerie dans le fameux corps d'élite des « Texas rangers ».

Six mois plus tôt, à Austin, deux braqueurs avaient attaqué un véhicule blindé contenant un million de dollars, et tué trois personnes. L'une des victimes, le convoyeur Gibb Barton, était un ranger à la retraite, le plus vieil ami de Jyce, son conseiller et son guide.

Depuis, Jyce n'avait qu'une idée en tête : arrêter les assassins. Mais, jusqu'ici, aucune de ses virées en montagne ne lui avait fourni le moindre indice, ni sur les tueurs, ni sur le petit avion dont ils s'étaient emparés par la suite.

Personne ne les avait vus emprunter le Beech Craft, mais le corps du pilote avait été retrouvé, jeté par-dessus bord dans les Davis Mountains, puis les malfrats s'étaient volatilisés avec l'appareil.

Tout le district avait pleuré la mort de Gibb Barton, mais, après plusieurs mois de battues infructueuses, Jyce restait le seul à s'entêter encore dans une traque désespérée qu'il menait pendant ses heures de repos, au risque d'y perdre sa santé tant il était épuisé.

Le mois dernier, Tom Haster, son supérieur, l'avait convoqué au quartier général d'Austin pour lui parler de la situation.

— Vous savez quoi, Riley ? Vous êtes l'un de nos meilleurs éléments, mais vous abusez de vos forces inutilement. Vous devez vous rendre à l'évidence : les gangsters ont atteint le Mexique depuis belle lurette. Nous avons transmis un mandat de l'autre côté de la frontière. Ils seront arrêtés là-bas.

Les yeux fiévreux de fatigue, Jyce avait soutenu son regard.

— Mon instinct me dit qu'ils n'ont jamais quitté la région. Ils se sont débarrassés du pilote juste avant d'atterrir parce qu'ils ne s'attendaient pas à ce qu'on retrouve le corps.

— Je sais que vous ne partagez pas l'avis général. D'ailleurs, ce n'est un secret pour personne.

Jyce avait compris, à ce moment-là, qu'il avait le choix entre deux options : ou bien il rentrait dans le rang, ou bien il risquait une mise au placard.

Il avait voulu jouer une toute dernière carte.

— Donnez-moi encore un peu de temps, chef.

— Dois-je comprendre que vous ne renoncerez pas, même si je vous mets sur la touche ?

Jyce n'avait pas eu besoin de répondre.

— C'est ce que je craignais.

Les deux hommes s'étaient longuement dévisagés.

— D'accord, avait enfin déclaré Tom. Vous n'êtes pas le seul à regretter Gibb.

Dieu merci !

— On joue les prolongations : je vous confie officiellement l'affaire pour une période de deux mois. Mais si, d'ici là, vous n'avez rien découvert, j'exige que vous laissiez tomber et que vous rejoigniez votre équipe avec les idées claires. Compris ?

Jyce avait acquiescé.

— J'ai élaboré un plan. Puis-je vous le soumettre ?

— Comme si je ne m'en doutais pas ! Allez-y.

— J'aurais besoin que vous vous arrangiez avec la compagnie de livraison Instant Parcel Service ; il faudrait qu'ils m'engagent comme intérimaire cet été. Ce serait une bonne couverture : ça me permettrait d'explorer la zone sans attirer l'attention. Pour m'aider, j'ai pensé enrôler Pat Hardy. Depuis qu'il est retiré des rangers, il est shérif à Alpine. C'était un bon ami de Gibb. Il mettra volontiers quelques officiers de son équipe à notre disposition.

Tom Haster en avait généreusement rajouté :

— Si jamais vous flairez une piste, il vous faudra plus d'appuis que ça. Au signal, je vous enverrai des renforts.

— Vous êtes génial, Tom.

— Epinglez d'abord ces ordures ; on se congratulera après.

Cette conversation avait eu lieu six semaines plus tôt.

En chargeant sa camionnette, Jyce faisait le bilan : il n'avait toujours pas dégoté le moindre indice, et il lui restait exactement douze jours pour résoudre ce que ses collègues appelaient « une affaire insoluble ».

Les nerfs tendus, il referma les battants arrière de la fourgonnette, et se dirigea vers l'avant.

— Hé, vous ne m'avez pas répondu ! Vous m'emmenez ?

Il avait oublié le gugusse en chemise de popeline fuchsia et pantalon de gabardine beige.

— Je montais à Cloud Rim rejoindre une dame ; vous savez ce que c'est…

Jyce dédaigna son sourire sirupeux, dégoulinant de sous-entendus. D'ailleurs, non, il ne savait pas « ce que c'était ». Il avait enterré sa femme sept ans plus tôt.

Cassie avait été le soleil de sa vie. Aimante, apaisante, elle l'avait aidé à chasser ses démons chaque fois qu'il traversait une mauvaise passe.

Depuis sa disparition, Jyce ne voyait plus trop l'utilité de rentrer à la maison. Il s'était investi à fond dans son travail, accumulant les heures supplémentaires jusqu'à l'abrutissement. Tout ça pour tenter d'oublier le vide de son existence.

L'auto-stoppeur papotait, lui désignant son cabriolet sport en carafe à l'entrée du garage.

— … l'embrayage. Le mécano ne peut pas réparer avant demain. Je comptais arriver dans la journée. Qu'est-ce que ça vous coûte, à vous ?

« Ça ne coûte rien, et ça peut rapporter gros », songea Jyce. L'arrivée d'un étranger dans une petite bourgade éveillait forcément la curiosité, et des rumeurs pouvaient lui revenir aux oreilles. Qui sait, même, si cet individu foncièrement antipathique n'allait pas le conduire sur la piste des tueurs ?

Jyce était prêt à tout, même à supporter pendant un moment la présence de ce type qui l'exaspérait au plus haut point. Il détestait ce genre de frimeurs arrogants à la mentalité de collégien.

— Montez.

Il s'installa au volant, et se pencha pour déverrouiller la portière côté passager.

Le gars hésita avant de grimper, cherchant un endroit où poser son sac sans le salir ni se salir lui-même.

En l'observant du coin de l'œil, Jyce se prit à espérer que cette gravure de mode fût l'un des malfrats.

La gendarmerie ne possédait pas la moindre description des tueurs. Avant de sombrer dans le coma, le chauffeur du véhicule blindé, mortellement blessé, n'avait eu que le temps de dire qu'ils portaient des cagoules et que le plus grand dictait ses ordres à l'autre. Leur âge pouvait se situer dans une fourchette allant entre vingt et quarante ans.

Jyce alluma la radio, et démarra.

— Vous ne vous présentez pas ? lança-t-il en guise d'entrée en matière.

— Pardon. Tony Roberts.

Vrai ou faux ? Au choix. Ce serait vérifiable à partir du numéro d'immatriculation de sa décapotable en panne.

— Et vous ?

— Jyce.

— C'est un peu court.

— Désolé. C'est tout.

C'était le prénom d'un de ses ancêtres, le premier ranger Riley, qui avait vécu avant la guerre de Sécession. La famille supposait qu'à l'origine, il s'agissait d'initiales : J.C., sans savoir à quoi elles correspondaient.

— C'est plutôt ingrat à porter, comme nom. L'enfance n'a pas dû être rose pour vous.

La condescendance de ce type échauffait sérieusement les oreilles de Jyce. Il avait encore quelques paquets à livrer dans Fort Davis, mais, comme il était pressé de se débarrasser de son auto-stoppeur, il prit directement la départementale à deux voies.

— A quelle adresse allez-vous ? Je peux peut-être vous débarquer si je passe devant.

Il effectuait un remplacement sur ce secteur depuis lundi. On était jeudi. En trois jours, il avait eu le temps d'enregistrer la topographie du village qui comptait moins de huit cents habitants.

— Chez Dana Turner.

— Je vois. Elle loue la caravane de Mason.

Le passager ouvrit de grands yeux stupéfaits.

— Vous la connaissez ?

Pourquoi Jyce eut-il l'impression que l'idée ne lui plaisait pas ?

— Non, mais j'ai déjà déposé des paquets pour elle, au ranch. D'ailleurs, j'ai une enveloppe pour elle dans ma cargaison.

— Quelle veine ! Moi qui croyais que c'était mon jour de guigne, je révise. Vous venez de régler mon plus gros problème : je ne savais pas comment la localiser.

Ah ! Dana Turner ne l'attendait donc pas ? Il se pouvait même qu'elle n'eût aucune envie de voir débarquer ce type. Peut-être était-il son ex-mari, ou son ex-petit ami ? Peut-être le fuyait-elle comme la peste ?

La curiosité de Jyce en fut attisée.

— Votre première visite au Texas ?

— Ça vous intéresse ?

Le ton devenait subitement hargneux.

12

Tiens, tiens ! Il suffisait donc de presser le bon bouton pour faire sauter les plombs ? Etait-ce un paranoïaque ou un zigoto qui n'avait pas la conscience tranquille ?

— J'essayais juste d'entretenir la conversation.

Jyce monta le volume de KALP, plus communément appelée la « Voix du Pas-l'Choix », la seule station radio locale, qui émettait depuis un appartement de location situé à Alpine.

Tony Roberts s'agita sur son siège.

— Vous ne pouvez rien capter de mieux, par ici ?

— Je crains que non.

— Quel fichu bled !

Le distingué personnage agrémenta son commentaire d'un reniflement dégoûté.

Jyce le classa définitivement dans la catégorie des tarés incurables. L'antipathie qu'il lui avait inspirée d'emblée se révélait totalement justifiée. Le fait que ce gougnafier n'eût encore ni remercié ni proposé sa participation pour le prix de l'essence n'était rien comparé à son manque absolu de sensibilité à la beauté du paysage.

Les montagnes de l'ouest du Texas offraient l'un des spectacles les plus grandioses du monde. Quel genre d'individu pouvait rester indifférent à la magnificence d'un tel paysage ?

Ils arrivaient au col où un panorama époustouflant embrassait la chaîne montagneuse dans son immensité avant de redescendre sur Cloud Rim. A perte de vue, les bosquets de mélèzes, de chênes et de genévriers, dispersés dans les replis escarpés, ressortaient en touches sombres sur les prairies verdoyantes, caressées ici et là par le reflet coloré d'une zébrure de fleurs sauvages.

Chaque fois qu'il y passait, à n'importe quelle heure du jour, sous n'importe quelle lumière, sous un soleil écrasant comme aujourd'hui ou dans la tourmente d'un orage d'été, Jyce en avait le souffle coupé.

Au détour d'un des nombreux lacets de la route qui escaladait le versant, il aperçut un groupe de vautours affairés à nettoyer une carcasse d'animal. Ce devait être le gros lièvre qu'il avait remarqué ce matin, mort sur le bord de la route. Les rapaces s'étaient arrangés pour le traîner à l'écart.

Toute créature avait son utilité ; toute la création avait une raison d'être. Du moins était-ce ce qu'on lui avait appris dans son enfance. Mais, depuis, Jyce avait subi pas mal de coups durs, et il ne savait plus vraiment ce à quoi il croyait.

Pour l'instant, le seul but qui lui parût d'une utilité capitale, c'était d'attraper les assassins de Gibb Barton et de leur faire payer leurs crimes.

— Dana ? C'est Glen. J'ai quelque chose pour vous… Je guettais votre retour. Je sais que vous êtes là. Répondez-moi !

— Une minute !

En l'entendant frapper, Dana avait délibérément fait la sourde oreille. Depuis un mois qu'elle louait cette caravane, le petit-fils du propriétaire ne cessait de l'importuner.

Ses doigts se crispèrent sur le téléphone.

— Excuse-moi, papa, il y a quelqu'un à la porte. Je te rappellerai plus tard.

— Préviens-moi quand tu auras reçu ces photos.

— Promis ! Je les attends impatiemment. On en parle dès qu'elles arrivent. Je t'adore, papa.

— Moi aussi, chérie. A plus tard.

Laissant son déjeuner en plan dans la minuscule cuisine, elle traversa l'habitacle pour aller ouvrir.

Glen Mason apparut tout pimpant, de la chemise western jusqu'aux bottes de cow-boy ; il s'était aspergé d'eau de toilette bon marché qui empestait. Avec ses cheveux blonds filasse qui lui arrivaient aux épaules, la barbiche qu'il portait dans un futile effort pour vieillir son visage chafouin, il avait l'air particulièrement miteux. Elle le trouvait même répugnant. La lueur libidineuse de ses yeux bleu pâle qui la couvaient avec un espoir pathétique lui coupa net l'appétit. Hélas, toute la froideur qu'elle affichait à son égard n'y changeait rien : Glen Mason continuait à surgir régulièrement sur son palier sous divers prétextes, démontrant une capacité de nuisance inébranlable.

Cette fois, il tenait à la main un sachet de papier brun.

— De quoi s'agit-il, Glen ?

— Grand-père m'a dit que l'ampoule électrique qui est au-dessus de l'évier va bientôt rendre l'âme. Il est temps de la remplacer. Je suis allé vous en acheter une. Vous voulez que je la change tout de suite ?

— Je le ferai moi-même. Dites à votre grand-père qu'il est très aimable mais que je le préviendrai quand j'aurai besoin de lui.

Elle lui prit le sachet des mains en concluant :

— Je règlerai la facture avec mon prochain loyer.

Elle déposerait le chèque dans la boîte aux lettres. C'était regrettable pour le vieil homme charmant qui se serait réjoui de sa visite, mais elle ne voulait pas prendre le risque de tomber sur le petit-fils.

Dana tenait à habiter loin du village. Lorsque sa mère lui avait signalé la caravane de Ralph Mason, cette solution lui avait paru idéale. Comment aurait-elle pu deviner que la location serait assortie d'un tel fléau ? Glen n'avait que trois ans de moins qu'elle, mais, sur le moment, Dana n'avait vu en lui qu'un adolescent solitaire et pitoyable.

— Vous avez besoin d'autre chose ? lui demanda-t-il, alors qu'elle refermait sa porte.

— Rien du tout.

Il se dandina d'un pied sur l'autre, les pouces dans les poches de son jean.

— Grand-père m'a dit de m'occuper de vous… de votre confort, il a dit.

— C'est très gentil de sa part, mais je me suffis parfaitement à moi-même.

— Il m'a dit de vous inviter à dîner ce soir… si vous ne travaillez pas, bien sûr.

Pur mensonge. Jamais son grand-père n'aurait lancé une telle invitation.

— Je travaille tous les soirs, déclara-t-elle d'une voix ferme.

En rougissant, Glen pivota sur ses talons, et s'éloigna.

Dana verrouilla bruyamment sa porte, de manière à ce qu'il l'entendît bien.

Elle éprouvait une sincère sympathie pour le grand-père, un vieil homme charmant, perclus d'arthrite. A quatre-vingt-huit ans, Ralph Mason ne quittait plus guère son ranch où il circulait à l'aide d'un déambulateur.

Dana serait bien passée de temps à autre prendre de ses nouvelles, mais le comportement de Glen lui interdisait le moindre geste qui pût être interprété comme une approche.

Elle posa l'ampoule sur le réfrigérateur, se servit un verre de lait, et put enfin s'asseoir pour déjeuner.

16

Le salon de la caravane n'était guère plus grand que la cellule qu'elle occupait en prison, mais, depuis l'instant où le juge l'avait déclarée innocente et lui avait rendu la liberté, elle avait l'impression d'être au paradis, même dans cet espace réduit qu'elle appelait son nid.

Et il en serait ainsi tant qu'elle serait libre — libre de préserver son intimité, de respirer l'air pur des montagnes, d'écouter le chant des criquets, de se préparer un en-cas à n'importe quelle heure du jour ou de la nuit, de s'allonger dans des draps propres, de dormir ou de veiller... Libre de téléphoner sans surveillance, d'ouvrir sa porte ou de la verrouiller, d'aller et venir à son gré, de choisir ses fréquentations...

La liste était sans fin. Depuis ce mardi du mois de mai où elle avait été acquittée, Dana vivait dans une conscience aiguë du bonheur que procure la liberté, tout en se demandant si l'horrible souvenir de ces sept mois de détention s'effacerait un jour de sa mémoire.

Grâce au ciel, elle avait son travail. Sa passion. Son salut.

Elle ouvrit le *Royal Astrophysics Journal* à la page de son article sur la découverte d'une naine brune. C'était le sujet de sa thèse, qu'elle avait soutenue l'année précédente, avant d'être emprisonnée.

Quelle joie de voir son texte enfin imprimé !

Classée parmi les plus brillants élèves de CalTech à l'université de Pasadena, Dana avait été intégrée dans un laboratoire de recherches de l'observatoire du mont Palomar — dont son père, le célèbre astronome Edward Turner, était l'un des directeurs.

Avec l'avènement des nouvelles technologies, les puissants télescopes s'étaient dotés de capteurs stellaires sophistiqués, qui permettaient de détecter les objets célestes les plus petits et les moins lumineux — non seulement des étoiles naines, mais aussi une infinité de planètes lointaines, qui gravitaient dans d'autres systèmes solaires à des milliers d'années-lumière du nôtre.

Privée, pendant près d'un an, de la possibilité d'observer le ciel, Dana avait beaucoup spéculé sur la probabilité de plus en plus grande que la vie se fût développée sur d'autres planètes. Cette année, elle se consacrait au sujet.

Fermant un instant les yeux, elle respira avec délices le parfum de l'orange qu'elle pelait pour son dessert. Un fruit. Autre denrée rare en prison. Elle n'en était jamais rassasiée, pas plus que de salades, fraîches et craquantes, des feuilles et des feuilles de laitue qu'elle empilait dans ses sandwichs et dévorait comme un lapin.

Mais son plaisir était toujours teinté de tristesse. A cette heure-ci, Consuela, son ancienne codétenue, devait sangloter sur sa couchette en pensant à sa fille. Il en était ainsi après chaque repas, pendant cette maudite sieste obligatoire. Dana en avait le cœur déchiré, et la distance qui séparait le Texas de la Californie n'atténuait pas sa compassion.

Depuis sa relaxe, elle était allée plusieurs fois à Anaheim, passer la journée avec la petite Rosita qui avait été confiée à sa tante Paquita. La pauvre femme élevait déjà plus d'enfants qu'elle n'en pouvait assumer. Dana l'aidait financièrement, mais l'argent ne résolvait pas tous les problèmes. Elle envisageait d'adopter Rosita, mais, pour l'instant, chacun essayait de maintenir le statu quo. Une demande d'adoption ne serait possible que si la fillette était placée en foyer d'accueil. Il faudrait donc la déraciner une fois de plus, et le pas était difficile à franchir.

Bien sûr, quand elle rendait visite à Consuela au parloir de Fielding, le centre pénitentiaire de San Bernardino,

Dana ne lui racontait que le meilleur sur son adorable petite fille.

A vingt-deux ans, Consuela Juarez avait été déclarée coupable d'homicide volontaire, et condamnée à une peine de quinze ans. Pour qui la connaissait, il ne faisait aucun doute qu'elle était en état de légitime défense quand elle avait tué son ex-mari drogué, alcoolique, violent et violeur. Hélas, elle n'avait pas eu les moyens d'engager un avocat digne de ce nom.

Dana en avait parlé à Randall Poletti, le mari de Heidi, sa meilleure amie. Randall était détective à la brigade criminelle de San Diego. C'était lui qui avait obtenu la révision de son propre procès en apportant des preuves de son innocence. Il s'efforçait maintenant de faire rouvrir le dossier de Consuela, mais l'enquête prenait du temps.

Du temps, c'était tout ce que l'on avait, derrière les barreaux, et on en avait à revendre…

Un coup frappé à la porte la fit sursauter. Encore Glen ! Ce pot de colle avait dû trouver un nouveau prétexte pour l'importuner. Eh bien, cette fois, elle ne répondrait pas !

Tandis qu'elle débarrassait tranquillement son plateau, les coups redoublèrent à la porte de la caravane.

— Madame Turner ?

Cette voix profonde était inconnue à la jeune femme.

Elle se précipita. Glen allait finir par la rendre folle en l'obligeant à se barricader ainsi !…

Elle reçut un choc quand elle ouvrit. L'homme qui se tenait devant elle était positivement magnifique : grand, avec une large stature, solide comme un roc… et en uniforme kaki.

Ce ne pouvait être qu'un de ces fameux Texas rangers. Quel papier tenait-il à la main ? Une assignation ? Pourquoi ?

Dana sentit son cœur battre à une vitesse folle… jusqu'au moment où elle lut l'inscription sur son insigne. C'était un livreur d'IPS !

Jyce se demanda ce qu'il avait bien pu faire pour provoquer chez cette jeune femme une telle réaction. Sa vulnérabilité le désarçonna autant que sa beauté saisissante.

— Vous attendiez quelqu'un d'autre ?

— N-non, non, bredouilla-t-elle. Justement, je n'attendais personne, je… j'ai été surprise.

Sa réponse le mettait encore plus mal à l'aise.

Il s'en voulait terriblement d'avoir cédé à la demande de Tony Roberts qui l'avait envoyé, en quelque sorte, en éclaireur afin de s'assurer que la jeune femme qui occupait cette caravane était bien sa petite amie.

Cette femme le bouleversait et, sans la connaître, il avait l'impression de la trahir.

— J'effectue un remplacement sur le secteur, depuis lundi. C'est la première fois que je vois une voiture à proximité de la caravane. J'ai supposé que vous étiez là.

— Euh… Oui. C'est assez rare, en fait… Vous… vous avez un paquet pour moi ?

— Oui. Voilà…

Jyce lui tendit un stylo avec sa feuille de livraison agrafée à la planchette.

— Si vous voulez signer ici.

Pendant qu'elle apposait son paraphe, il remarqua que ses doigts tremblaient. Qu'est-ce qui avait bien pu lui causer une telle frayeur ?

Tout en s'efforçant de ne pas paraître indiscret, il contempla presque avec avidité son ravissant visage. Si, en plus, elle souriait, elle serait éblouissante.

Il embrassa d'un coup d'œil sa silhouette élancée, ses longues jambes, ses courbes exquises que l'on devinait aisément sous son léger chemisier rose... Elle était d'une féminité à vous couper le souffle.

Jyce n'était pas moine : il avait toujours admiré les jolies femmes, mais il n'avait pas éprouvé une attirance aussi violente depuis des années.

Quand elle lui rendit la tablette, il était tellement troublé par l'éclat transparent de ses iris gris-vert qu'il faillit oublier de lui remettre son paquet.

Elle prit l'épaisse enveloppe cartonnée, et la serra contre sa poitrine comme un bouclier.

— Je suis contente de vous voir : je voulais justement vous demander de déposer mes colis devant la porte quand je suis absente. Personne ne viendra les voler, et je ne veux pas déranger M. Mason au ranch chaque fois que je reçois un paquet.

Jyce était tellement fasciné par la limpidité de ses yeux d'aigue-marine frangés de longs cils noirs qu'il demeurait comme tétanisé.

— Je serai heureux de vous satisfaire, dit-il sans réfléchir.

— Merci.

Tandis qu'elle s'apprêtait à refermer sa porte, une voix s'éleva derrière Jyce :

— Salut, Dana.

Le fameux Tony ! Jyce l'avait complètement oublié.

Depuis quand n'avait-il pas perdu la tête de cette façon à la seule vue d'une femme ? Cela devait remonter à son adolescence. Ce n'était pourtant pas le moment de se laisser déconcentrer : il avait une mission à accomplir.

— Tony ? Qu'est-ce que tu fais ici ?

Dana Turner toisait avec dédain le nouvel arrivant.

— A ton avis ? répliqua-t-il en minaudant, avec un de ses sourires mielleux.

Elle ne paraissait pas effrayée, comme elle l'avait été devant lui, un instant plus tôt, mais, à en juger par son accueil glacial, la visite de Roberts était loin de lui faire plaisir. Jyce n'en fut pas étonné. Ce qui le surprit, en revanche, ce fut qu'elle l'invitât à entrer.

La porte se referma sur eux.

Abandonné à son sort de livreur subalterne, Jyce repartit vers sa fourgonnette sans se presser. Il espérait capter des bribes de leur conversation, mais aucun bruit ne lui parvint.

Il s'attarda une minute pour remplir sa paperasserie, et en profita pour noter, à tout hasard, le numéro de la voiture de Dana Turner. C'était un petit 4x4, tout frais sorti d'usine… mais d'où ? Pas du Texas. Dommage : Jyce n'avait pas regardé la provenance de cette enveloppe. Evidemment, il n'inspectait pas chaque colis de chaque client.

Le silence était plus perturbant que des éclats de voix. Que se passait-il dans la caravane ?

Leurs querelles de couple n'avaient certainement aucun lien avec l'affaire des braqueurs, alors pourquoi ne se décidait-il pas à quitter les lieux ?

Parce que ce Roberts dégageait quelque chose de malsain. Jyce ne supportait pas l'idée de les savoir tous les deux enfermés dans cet espace réduit, isolés de tout.

Le ranch de Ralph Mason était la dernière habitation de la route, à un kilomètre du village, et la caravane était retranchée sur une voie de déviation, dans l'intimité d'un bouquet d'arbres.

Jyce ne pouvait pourtant pas s'éterniser. Il redémarra.

Il en avait à peu près pour une heure à effectuer ses livraisons dans Cloud Rim. Il repasserait voir Dana Turner en fin de tournée. Il prendrait pour prétexte de lui faire signer un formulaire autorisant la compagnie à lui déposer ses paquets en son absence.

Au minimum, il vérifierait si son visiteur ne l'avait pas trucidée. D'ailleurs, de quoi s'inquiétait-il ? Leur silence présageait sans doute une réconciliation sur l'oreiller.

Mais pourquoi ne supportait-il pas cette idée-là non plus ?

Dana était encore troublée par la visite de ce livreur qu'elle avait d'abord pris pour un représentant de la loi. Combien de temps lui faudrait-il encore pour se défaire de cette angoisse et cesser de trembler chaque fois qu'un uniforme croisait son chemin ?

Si elle avait invité Tony à entrer, c'était uniquement pour éviter un esclandre devant cet homme dont le charisme et les yeux de braise l'avaient tellement impressionnée.

Maintenant, il s'agissait de se débarrasser au plus vite de son visiteur indésirable.

Tony posa son sac de voyage sur un fauteuil et observa les lieux comme s'il avait l'intention de s'y installer.

Comment avait-elle pu sortir avec ce pantin prétentieux ? Et l'embrasser ? Par bonheur, leur relation n'était pas allée plus loin. Un mois de flirt, jalonné de querelles parce que Tony Roberts était pressé de la posséder et qu'elle ne lui cédait pas, sous prétexte qu'elle était trop absorbée par la soutenance de sa thèse — ce qui était vrai, dans un sens. Mais au fond, elle avait toujours soupçonné Tony de vouloir mettre le grappin sur la fille du grand Pr Turner, et de se servir d'elle comme tremplin pour sa carrière.

Toutefois, elle n'aurait jamais imaginé que son maître-assistant profiterait de son séjour en prison pour pirater le disque dur de son ordinateur. Sous sa couche de snobisme, Tony Roberts n'était qu'un vulgaire truand, aussi pitoyable que Glen, dans son genre.

— Je crois savoir que tu as été renvoyé de CalTech, dit-elle froidement. Tu as vraiment du toupet de te présenter chez moi !

Il adopta aussitôt une expression candide.

— Tout ça n'était qu'un malentendu, Dana. Je viens juste d'apprendre que tu étais sortie de… tes difficultés. J'accours aussitôt pour clarifier la situation et renouer nos relations.

— Quoi ? Mais tu m'as volée ! Tu as abusé de ma confiance ! Tu as pillé mon travail !

Dès qu'elle entendit la camionnette d'IPS démarrer, elle ne prit plus la peine de contrôler sa rage.

— C'est toi qui devrais être en prison, aujourd'hui ! Ce que tu as fait s'appelle une usurpation de biens intellectuels : c'est une fraude passible de la cour pénale !

— Ça, c'est la version de ton père ! Il ne m'a pas laissé la moindre occasion de lui expliquer…

— Il n'y a rien à expliquer ! Tu n'es qu'un sale tricheur ! Heureusement que papa a découvert ton manège ! Quelle pitié… Tu étais un étudiant tellement prometteur.

Il ne cilla même pas sous le compliment, bien qu'il fût bouffi d'orgueil.

— Je sais que les apparences sont contre moi, dit-il, mais je n'ai jamais eu l'intention d'accaparer tes découvertes.

Ton père est monté sur ses grands chevaux sans même m'écouter. Je voulais seulement faire avancer tes analyses en attendant que tu puisses les reprendre...

— En attendant quoi ? J'étais condamnée à trente ans ! La vérité, c'est que tu as cru que je ne sortirais jamais et que tu pouvais me piller sans que personne ne s'en aperçoive !

— Ne sois pas stupide ! Je savais que tu traversais une période de dépression, mais j'ai toujours pensé que tu la surmonterais, et que tu poursuivrais tes travaux, même enfermée à Fielding. Pour l'amour du ciel, cesse de croire aveuglément ce que dit ton père ! Je n'ai pas copié toutes tes disquettes : j'ai mis mon nom sur un projet dont tu m'avais parlé, parce que je savais qu'il te tenait à cœur et que tu étais pressée de le publier avant qu'il ne soit éventé ! J'ai pris les devants pour te rendre service !

Il pataugeait si lamentablement que la colère de Dana retomba, ne laissant place qu'au mépris.

— Si tu espérais me faire gober ce conte de fées, tu aurais dû me rendre visite au moins une fois en sept mois.

— Après la dispute que nous avions eue, la veille de ton arrestation, j'étais certain que tu refuserais de me voir.

Elle lui lança un regard glacial, et il détourna la tête.

— Tu n'es même pas capable de rendre tes mensonges crédibles, déclara-t-elle avec dégoût. Tu es transparent, Tony. En ce moment même, tu n'es toujours pas convaincu de mon innocence. Tu te demandes encore si j'ai tué ma sœur... si je ne suis pas une femme dangereuse. Tu plastronnes, mais tu n'en mènes pas large, hein ?

— Allons, Dana, si j'avais peur de toi, est-ce que je serais venu dans ce trou perdu pour te donner des explications ?

— Hypocrite ! C'est ta sordide ambition qui t'a poussé à me rendre visite. Tu es tellement arriviste que tu lècherais les pieds de mon père pour être réintégré à CalTech ! Tu m'écœures. Maintenant, disparais : la porte est derrière toi.

Il lui adressa ce sourire enjôleur qui l'avait déstabilisée, quand elle l'avait rencontré.

— Je crains d'être coincé ici, dit-il : ma voiture est en panne à Fort Davis. Je suis monté avec le livreur, et il est reparti.

Ça lui ressemblait bien d'utiliser la gentillesse d'autrui pour économiser la location d'une voiture ! Décidément, ce fumiste était le plus imbuvable de la sélection d'ânes bâtés qu'elle avait pu croiser sur son chemin.

Dana souffrait d'un grand défaut, et elle le savait : elle avait constamment la tête dans les étoiles, et elle n'était douée d'aucune jugeote en matière d'hommes.

— C'est vraiment dur pour toi ! lança-t-elle d'un ton railleur. Les taxis sont à Alpine : trente-cinq kilomètres. Si tu es trop radin pour en appeler un au restaurant du village, tu vas être obligé de redescendre à Fort Davis à pied, en priant pour que le motel n'affiche pas complet.

Il s'avança. Tony était un enfant gâté qui prenait la vie comme un jeu et croyait toujours pouvoir gagner.

— Ne sois pas cruelle, ma biche. Laisse-moi dormir avec toi, ce soir, en souvenir des jours heureux…

Dana le repoussa d'un air révolté, alors qu'il essayait de l'attirer dans ses bras.

— Des jours heureux ? Il faudrait qu'il y en ait eu !

Soudain, le masque du guignol tomba, révélant des abîmes de rancœur derrière son vernis de façade.

— La prison ne t'a pas arrangée ! lança-t-il.

— Ce n'est pas la prison qui vous ouvre les yeux. C'est la trahison.

— Je te prenais pour une fille chouette, mais tu es aussi coriace que ton vieux.

Ce devait être terriblement humiliant pour lui d'avoir été flanqué à la porte de CalTech, songea-t-elle.

— Mon « vieux » aurait pu t'infliger un procès retentissant. Tu devrais être content de t'en tirer à si bon compte. Maintenant, dehors !

Elle vit une lueur indéchiffrable briller dans son regard.

— Pas si vite ! Tu me dois encore une chose que tu remettais toujours au lendemain.

L'assaut la prit totalement au dépourvu. Ils se tenaient face-à-face, et puis, l'instant d'après, Tony la renversait sur le canapé, l'écrasant de tout son poids, et faisait courir ses mains partout sur son corps.

Dana tenta de se débattre, mais elle comprit rapidement que ce crétin avait perdu tout contrôle. Alors, elle glissa une main sous l'un des coussins du canapé, et saisit son calibre neuf millimètres.

Elle n'eut même pas besoin de débloquer le cran de sûreté. A la vue du canon pointé sur lui, Tony recula d'un bond.

— Alors, tu refuses toujours de partir ? lui demanda-t-elle avec un sourire méprisant.

C'était son père qui avait insisté pour qu'elle gardât ce revolver dans la caravane. Avant son séjour à Fielding, Dana n'en aurait jamais voulu, mais ses camarades codétenues lui avaient enseigné des leçons qu'elle n'aurait jamais apprises ailleurs. Aujourd'hui, elle avait conscience qu'une femme isolée devait s'entourer de protection. La preuve.

Tony se releva lentement. Il paraissait estomaqué, mais il n'adopta pas pour autant un profil bas.

— La loi interdit aux repris de justice de posséder des armes à feu.

— J'ai été acquittée avec les excuses du procureur. Et je le serai une deuxième fois si je te blesse alors que je suis en état de légitime défense.

Tony Roberts dut comprendre qu'il ne gagnerait pas cette manche-là. Il ramassa donc son sac, mais trouva encore le moyen de cracher son venin avant de partir.

— Tu es aussi cinglée que ta sœur, ma pauvre fille.

— Dehors, Tony ! Et ne t'avise plus de m'approcher.

— C'est en te rendant la liberté que le juge a commis une erreur.

— Va dire ça au juge suprême.

2.

A peine fut-il sorti que Dana sentit ses genoux flageoler. Lâchant son arme, elle se précipita pour verrouiller la porte, et s'adossa contre la paroi. De là, elle considéra avec stupéfaction le revolver qu'elle avait jeté sur la table.

Qu'aurait-elle fait si Tony n'avait pas capitulé aussi vite ?

Rassemblant ses forces, elle se rua sur le téléphone. Elle avait besoin de parler à Heidi. Par bonheur, les Poletti n'étaient pas encore partis en vacances, et il n'y avait qu'une heure de décalage horaire entre le Texas et la Californie.

— Allô ?

— Heidi ! cria la jeune femme, au bord de l'hystérie.

— Dana ? Que se passe-t-il ?

— Tu ne le croiras jamais... Je n'y crois pas moi-même : je viens de...

D'une voix qui tremblait autant que ses jambes, elle relata sa mésaventure à son amie d'une seule traite, avec un débit torrentiel.

Heidi se mit à rire.

— Oh, que j'aurais aimé assister au spectacle ! Ce goujat devait être terrifié ! Attends que je raconte ça à Randall !

— Non ! Ne... Je t'en supplie, ne dis rien !

— Et pourquoi ? Après ce que Tony a fait, tu es en droit de te défendre s'il revient t'agresser chez toi !

— La circonstance atténuante n'a pas fonctionné dans le cas de Consuela, et pourtant, son mari lui avait fait subir mille fois pire.

Après une légère hésitation, Heidi se rangea à l'argument de son amie.

— Exact. Réjouissons-nous que Tony se soit senti assez menacé pour détaler comme un lapin.

— Je n'en reviens pas. Qui aurait pu deviner qu'il nourrissait une telle violence ?

— Randall dit qu'il faut se méfier des beaux museaux qui déambulent en distribuant larges sourires et poignées de mains obséquieuses. Quoi qu'il en soit, je suis contente que ton père t'ait donné son arme.

Dana s'en félicitait aussi. Jusqu'où Tony serait-il allé pour assouvir sa rancune si elle n'avait pas eu à sa disposition ce moyen de dissuasion ?

— A propos de harcèlement, reprit Heidi, où en es-tu avec le barbichu ? Tu sais, le modèle réduit de mousquetaire sans chapeau ?

Heidi avait croisé Glen, lors de ses visites à Cloud Rim. La justesse du portrait qu'elle venait d'en faire fit rire Dana aux éclats, malgré les circonstances assez peu réjouissantes.

— Il ne me lâche pas. Il est encore passé, tout à l'heure, pour m'inviter à dîner avec son grand-père. J'ai l'impression que plus je suis revêche, plus il se cramponne.

— Alors, je suis doublement contente que tu sois armée.

— Heidi ! Je ne vais pas tirer sur tout ce qui bouge !

— Je sais bien, mais ça peut dissuader les minables…
Au fait, où sont ces grands mâles texans, solides et séduisants, dont l'Amérique nous rebat les oreilles ?

Dana laissa son regard errer sur le paquet qu'elle n'avait pas encore ouvert, tout en songeant qu'elle connaissait au moins un homme qui répondît à tous ces critères, et même sans doute davantage.

Il conduisait une fourgonnette d'Instant Parcel Service, et sa femme devait attendre son retour avec impatience.

Une fraction de seconde, elle rêvassa au bonheur que ce devait être de retrouver un tel homme tous les soirs… Seigneur ! Elle n'aurait pas fini d'en entendre parler si elle confiait à Heidi ses fantasmes sur l'éblouissant coursier d'IPS…

— Dana ? Tu es toujours là ?

— Oui, oui.

— J'ai l'impression que tu me caches quelque chose.

La jeune femme se sentit rougir.

— Qu'est-ce que tu vas imaginer ? Non, bien sûr que non !

— Oh que si ! Tu dis toujours : « Bien sûr que non ! » quand tu prononces un mensonge flagrant.

— Les hommes ne m'intéressent plus, Heidi.

— Parce que tu n'en as pas rencontré un seul qui t'arrive à la cheville. Mais, quand ton prince viendra, il t'aidera à passer le cap, tu verras !

— Ça n'est pas pour demain ! Bon, je dois te laisser. Merci de m'avoir écoutée.

— Je te rappellerai dans la soirée pour m'assurer que tout va bien. D'ici là, tu auras peut-être décidé de m'en dire plus sur ce mystérieux apollon aux yeux bleus.

— Ils sont noirs comm…

Dana s'interrompit net. Mais trop tard.

— Mmm, comme des obsidiennes ? Joli. Et les cheveux : blé d'or ou aile de corbeau ?

— Je ne m'en souviens pas.

— Tu n'es qu'une menteuse, mais je t'aime quand même.

L'émotion nouait la gorge de Dana.

— Je t'aime aussi. Je te dois ma vie, Heidi.

— Je croyais que c'était de l'histoire ancienne ?

— Non… Je ne parviens toujours pas à considérer ma liberté comme un droit légitime. Je ne vous remercierai jamais assez, Randall et toi…

Elle prit une profonde inspiration.

— Est-ce que ton mari a du nouveau, au sujet de Consuela ?

— Pas encore. Mais tu le connais : il s'est attelé au dossier ; il ne lâchera pas avant d'avoir réussi… Oh, j'allais oublier ! On envisage de descendre te voir. Pas ce weekend, mais le suivant, d'accord ?

— Formidable !

— Je te le confirme ce soir.

En raccrochant, Dana avait le cœur infiniment plus léger.

Une fois le revolver remisé dans sa cachette, sous le coussin, il ne lui restait plus qu'à se changer avant de courir au travail. Elle prendrait une douche là-bas. Ici, la salle de bains était un recoin où elle se sentait toujours mal à l'aise, et elle n'avait pas besoin réveiller sa claustrophobie maintenant.

Elle se déshabilla dans la chambre, et hocha tristement la tête devant son joli chemisier rose — son préféré — dont le col était déchiré et tous les boutons arrachés. Irrécupérable.

32

Dix minutes plus tard, Dana Turner avait retrouvé toute la maîtrise d'elle-même.

Vêtue de propre et impatiente de voir les photos que son père lui avait envoyées, elle emporta le paquet du livreur et prit la route.

Son petit 4x4 flambant neuf lui donnait entière satisfaction. A l'orée du village, elle bifurqua sur la gauche, dans un passage que les autochtones étaient seuls à connaître et qui était l'amorce d'un sentier gravissant la montagne. Le mont Luna culminait six cents mètres plus haut que Cloud Rim, et les hectares d'anciens alpages au sommet appartenaient à sa famille.

Tout là-haut, à deux mille soixante-douze mètres d'altitude, trônait la coupole blanche de l'observatoire que son père avait fait construire.

Avant d'y pénétrer, Dana marquait toujours un temps d'arrêt pour respirer l'air pur à pleins poumons et contempler le paysage avec un émerveillement inaltérable. Ici, le monde s'étalait à l'infini, dans toutes les directions, jusqu'aux hauts plateaux du Mexique au sud-ouest et les grands déserts du Texas au nord-est.

Elle qui souffrait de claustrophobie depuis l'enfance éprouvait un immense soulagement devant ces étendues illimitées à ciel ouvert, chaque fois qu'elle sortait de sa voiture.

Son allergie aux lieux clos s'était manifestée pour la première fois au parc d'attractions, dans un manège sous-marin. Depuis, la maturité aidant, Dana supportait de se trouver quelques minutes dans un ascenseur — à condition qu'ils ne tombent pas en panne — ou les tunnels d'autoroute — à condition qu'ils ne soient pas trop longs. Mais, en règle générale, dès qu'elle manquait de place ou qu'elle ne pouvait plus voir la lumière du jour, elle étouffait.

Evidemment, son souvenir le plus pénible resterait à tout jamais la prison. Là, l'oppression était permanente. Quand les grilles se refermaient, après la promenade, elle avait l'impression d'être ensevelie, enterrée vivante, au point de suffoquer. Sans les anxiolytiques que le médecin avait fini par lui donner pour soigner cette claustrophobie, elle serait probablement morte d'asphyxie dans les affres de l'enfer.

Encore maintenant, quand elle pensait à Consuela enfermée dans sa cellule, loin de sa petite Rosita, elle avait du mal à respirer. Heureusement que Randall avait pris le dossier en main…

Laissant le fardeau des malheurs sur le seuil de la porte, Dana pénétra dans le prodigieux observatoire du mont Luna, un peu comme s'il s'était s'agi d'une cathédrale.

Son télescope — miroir d'un mètre de diamètre — était un bijou de la technologie astronomique, et ses ordinateurs étaient reliés à ceux de CalTech, au mont Palomar. Un rêve !

Dana avait installé un futon dans le petit salon de détente qui était équipé d'une kitchenette et, souvent, après une longue nuit d'observation, elle dormait sur place. La caravane n'était qu'un pied à terre. Chez elle, c'était ici.

Les Davis Mountains jouissaient du ciel le plus cristallin d'Amérique du Nord. Certaines nuits, à cause de la transparence atmosphérique, le firmament semblait si proche qu'on avait l'impression de pouvoir l'atteindre d'une main pour y cueillir une poignée d'étoiles.

Son père se plaisait à raconter qu'en découvrant Saturne, à l'âge de cinq ans, elle avait demandé la permission de toucher les anneaux.

— Ils sont trop loin, chérie.

— Et on ne peut pas les voir de plus près ?

— Oh si, de très près, mais en photo.

Il lui avait montré les clichés qu'avait pris la caméra embarquée sur la sonde spatiale *Voyager 2*. Et, selon lui, sa fille prodige avait sur-le-champ manifesté une curiosité scientifique insatiable. Ainsi était née la grande histoire d'amour que Dana entretenait avec les cieux.

Alors, pourquoi, vingt-deux ans plus tard, tandis qu'elle découvrait d'autres photos tout aussi passionnantes, était-ce l'image du livreur d'IPS qui s'imposait à son esprit ? Et cela, bien qu'elle fût persuadée qu'il était marié...

Agacée, elle s'efforça de concentrer son attention sur les trésors que son père lui avait envoyés : des agrandissements de la surface d'Europa, une des lunes de Jupiter.

Après avoir minutieusement étudié les fissures et les chapelets de petits cratères, elle attrapa son téléphone : elle était au comble de l'excitation.

— Papa ! Elles sont fantastiques !

— Ah, tu trouves aussi ?

— La disposition des protubérances et des fractures pourrait indiquer un cryovolcanisme ! Ce serait une confirmation de ma thèse selon laquelle il y a eu une activité volcanique sur Europa !

— C'était ma surprise, chérie. Je suis presque sûr que nous trouverons un océan liquide sous la croûte glacière.

— Ce qui voudrait dire : un environnement propice à un embryon de vie !

— Exactement. Je... Oh ! Désolé, chérie, le Pr Harbin vient de surgir dans mon bureau avec un problème urgent inscrit sur les rides de son front.

— A plus tard, papa. Merci pour les photos.

— Au revoir, chérie ; prends bien soin de toi.

En dépit de l'urgence, son père terminait par un mot affectueux. Autrefois, il n'en aurait pas pris le temps.

Leur tragédie familiale les avait rapprochés d'une manière indicible. Ses parents avaient toujours été attentifs, mais rarement expansifs. Jusqu'à ce qu'ils perdent l'une de leurs filles dans des conditions atroces. Depuis, ils s'épanchaient davantage, s'ouvraient aux autres, leur confiaient leurs états d'âme.

Ayant disposé les photos sur le panneau de liège en face de son bureau, Dana ouvrit son ordinateur au fichier Europa, et commença à entrer ses observations. Il n'était que 4 heures de l'après-midi, mais elle était partie pour travailler toute la nuit sans discontinuer.

Enfin, elle s'arrêterait au moins une fois, quand Heidi appellerait. Une Heidi qui allait la bombarder de questions sur certains yeux noirs… Obsidienne ! Où était-elle allée pêcher ça ?

En tout cas, le plus raisonnable eût été de tenir le livreur d'IPS à distance ! Dana le savait bien, mais, à l'impossible, nul n'est tenu.

Jyce venait de grimper dans sa fourgonnette quand Art Watkins, le quincaillier, sortit précipitamment de son arrière-boutique avec une boîte à la main.

Jyce consulta discrètement sa montre. 15 h 30. Il avait déjà une demi-heure de retard sur son planning, et il devait encore repasser chez Dana Turner avant de quitter Cloud Rim.

— Vous pourriez me rendre un service, Jyce ?

— Si c'est dans mes cordes…

— Au gré de vos livraisons, ça ne vous ennuierait pas de distribuer mes petites annonces ? Notre locataire est parti s'installer à Alpine en laissant vacant l'appartement que nous n'utilisons pas.

Il désigna son ranch, une ancienne ferme joliment rénovée.

— C'est un deux pièces confortable, qui donne derrière, sur le jardin : porte-fenêtre dans le living, entrée et garage indépendants…

— Pas de problème, coupa Jyce en prenant la boîte. Je le ferai avec plaisir.

Les petites annonces lui fourniraient une excuse idéale pour se présenter dans des endroits où il n'avait rien à livrer, et engager la conversation.

A défaut de retrouver l'avion, entier ou à l'état d'épave, il essayait de se renseigner sur l'argent qui avait circulé, ces derniers mois : héritages ou pactoles gagnés à la loterie. Jusqu'ici, parmi ses clients habituels, aucun commerçant n'avait vu personne dilapider des fortunes.

Et si son flair était usé ? Si son instinct le trompait ? Le Mexique était tout près, encaissé dans la montagne, sur l'autre rive du Rio Bravo. Et si les tueurs avaient vraiment franchi la frontière ?

Voyant le quincaillier sortir un billet de sa poche, Jyce s'empressa de remettre le moteur en marche.

— Non, Art, pas question ! A demain.

Il démarra avec un sourire, sans lui laisser le temps d'insister. D'une certaine manière, Art Watkins lui rappelait son père : humain, travailleur, honnête à l'excès, toujours agréable avec les gens. Le contraste qu'il formait avec le jeune paon grincheux qu'il avait déposé chez Dana Turner était ahurissant.

Quelle sorte de relation ce couple pouvait-il entretenir ?

Mais de quoi se mêlait-il, après tout ? Et pourquoi retournait-il dans cette caravane, au diable vauvert, en trimballant des paquets qui étaient attendus à Fort Davis ?

En abordant l'allée du ranch, il remarqua tout de suite que le petit 4x4 blanc n'y était plus. Mais Roberts pouvait l'avoir emprunté pour une course personnelle…

Jyce continua sur sa lancée et, muni du formulaire à signer, il alla frapper à la porte.

— Madame Turner ?

Après avoir vainement insisté, il fit le tour de la caravane. Les rideaux étaient tirés partout. Trop bien tirés. Comme si quelqu'un s'était appliqué à ne laisser aucun interstice, par crainte d'indiscrétion de la part d'un observateur extérieur.

Jyce revit la colère froide dans les yeux de Dana Turner quand Roberts lui était apparu…

Bizarrement troublé, il alla fouiller dans sa boîte à outils. En cas de force majeure, la loi autorisait un officier à s'introduire dans une résidence privée sans mandat de perquisition. De son point de vue, les circonstances s'inscrivaient dans la loi. Il pouvait entrer, inspecter les lieux et ressortir en moins de dix secondes.

Si, par extraordinaire, il tombait sur les tourtereaux, il exhiberait son insigne de ranger en leur racontant que la gendarmerie poursuivait secrètement un violeur aperçu dans la région. Mais, évidemment, Jyce préférait éviter un incident de ce genre : il n'avait aucune envie de dévoiler une partie de ses batteries.

Il grimaça en s'apercevant que le verrou était extrêmement facile à crocheter. N'importe qui pouvait entrer dans la caravane pendant que la jeune femme dormait…

Par réflexe professionnel, il dégaina son arme, et se tint en position accroupie pour pousser la porte.

L'endroit était désert.

Les coussins du canapé étaient froissés et de guingois, comme s'ils avaient été les témoins d'une lutte. Le lit de la petite chambre n'était pas défait. Quant à l'enveloppe qu'il avait livrée, il ne la trouva nulle part. Dommage, il aurait aimé en vérifier la provenance.

Il jeta un coup d'œil dans la salle de bains. La douche n'avait pas été utilisée dans les dernières heures.

Tout était impeccable, excepté le verre et l'assiette abandonnés dans l'évier de la cuisine.

La jeune femme avait-elle préparé à déjeuner pour son invité ?

En cherchant les reliefs d'un éventuel repas, Jyce découvrit avec stupéfaction le chemisier rose de la jeune femme dans la poubelle ! Il le souleva entre deux doigts afin d'évaluer les dégâts. Pas de trace de sang. Néanmoins, l'affaire se corsait.

Après s'être assuré que la voie était libre de tous côtés, il sortit.

Si seulement il avait su où Dana Turner travaillait… en admettant qu'elle travaillât, bien sûr !

Ralph Mason devait le savoir.

Mais, au ranch, personne ne répondit à son coup de sonnette. Le vieil homme devait faire la sieste. Jyce n'insista pas.

Du reste, il devenait urgent de reprendre les livraisons. Jyce s'engagea sur la route de Fort Davis, et retraversa le village en scrutant les rues adjacentes. Pas de 4x4 blanc.

Comme il sentait monter en lui une réelle appréhension, il appela Pat Hardy.

Le shérif d'Alpine, plus que volontaire pour collaborer à la traque des assassins de Gibb Barton, avait mis son équipe à disposition 24 heures sur 24.

— Pat, je suis tombé sur une histoire qui m'intrigue. Pourrais-tu demander aux brigades routières de rechercher une voiture, disons, dans un rayon d'une cinquantaine de kilomètres autour de Cloud Rim ?

Le 4x4 neuf, pas encore immatriculé, portait une plaque provisoire. Il n'avait pas été acheté au Texas. Jyce donna au shérif la marque, les caractéristiques et le numéro de la voiture, ainsi qu'un signalement de Dana Turner et de Tony Roberts. Pat promit de le rappeler dès que le véhicule serait localisé.

Tiraillé par un obscur pressentiment, Jyce oublia la splendeur du panorama en franchissant la crête. Il était tellement occupé à guetter les 4x4 blancs tout en conduisant qu'il faillit manquer Tony Roberts qui faisait du stop sur le bas-côté de la route.

Jyce ne savait pas s'il devait se réjouir de cette rencontre. Il ne se détendrait que lorsqu'il aurait la preuve que Dana Turner se portait bien. Seul point positif : maintenant qu'il tenait l'oiseau dans le filet, les mailles resteraient serrées jusqu'à ce que Pat Hardy eût rassemblé suffisamment de renseignements sur lui.

Jyce ralentit à sa hauteur, et prit soin de glisser sous son siège la petite liasse de papiers que lui avait confiée Watkins. Roberts s'installa tranquillement, côté passager.

— J'espérais vous croiser, dit-il, mais je commençais à craindre que vous ne m'ayez précédé.

Jyce redémarra.

— Vous n'êtes pas resté longtemps.

— Ça, non !

Tony Roberts pouvait être un pignouf inoffensif aussi bien qu'un dangereux psychopathe. Dans un cas comme dans l'autre, ce n'était pas en l'interrogeant que Jyce obtiendrait des réponses. Afin de ne pas éveiller sa méfiance, il devrait se contenter de saisir les ouvertures qui lui seraient offertes.

Hélas, son passager demeura muet jusqu'aux abords de Fort Davis.

— Indian Lodge, où est-ce, exactement ?

— A six kilomètres au sud de la ville.

— La poisse.

— Pourquoi ?

— D'après le garagiste, c'était le seul endroit où j'aurais eu une chance de dégoter une chambre.

— Je peux vous y conduire, si vous voulez.

Roberts hocha la tête sans même remercier.

Le laissant croupir dans son silence renfrogné, Jyce décida d'effectuer ses livraisons en ville, comme s'il n'existait pas. Peut-être finirait-il par exprimer quelque sentiment ?

Pas du tout. Le lascar ruminait des pensées suffisamment accaparantes pour que le temps n'eût aucune prise sur lui. Trois quarts d'heure plus tard, il n'avait toujours pas desserré les dents.

Jyce prit la direction du motel situé dans un site qui prétendait copier un village mexicain.

A l'entrée du parking bondé, il tendit une perche à son passager :

— Je vous souhaite bien du courage : vous tombez en pleine saison touristique.

Il suffisait d'un rien. Roberts démarra au quart de tour.

— Si vous croyez que je m'attendais à devoir dormir à l'hôtel !

Jyce feignit de compatir dans le registre « complicité masculine ».

— Je ne sais pas ce que Mme Turner vous reproche, mais, en tout cas, vous avez du goût : c'est une belle femme.

— *Mademoiselle* Turner.

Il avait jeté le mot avec hargne.

— Vous allez sûrement vous rabibocher, dit Jyce d'un ton rassurant.

— Ça risque pas !

Il ralentit devant l'entrée du motel.

— C'est à ce point-là ?

— Et comment ! Je sais qu'elle a passé sept mois à fricoter avec de la racaille, mais je ne l'aurais jamais crue capable de me braquer un pistolet sous le nez ! Merci pour le voyage.

Sur ces mots, Tony Roberts quitta la voiture, et s'éloigna d'un pas rageur.

Jyce était abasourdi par ce qu'il venait d'entendre.

Cette histoire était-elle vraie ? Et, dans ce cas, pourquoi Mlle Turner possédait-elle une arme ? Qui était cette « racaille » avait qui elle avait « fricoté » pendant sept mois ? *Sept* mois. Quelle étrange coïncidence…

Pourquoi vivait-elle aussi isolée, à l'écart d'un village perdu dans les Davis Mountains ? Se pouvait-il qu'elle eût quelque chose à voir avec le braquage perpétré six mois plus tôt ?… Une complice qui aurait hébergé les tueurs ? La maîtresse de l'un d'eux ?

Etait-ce possible ?

Et si elle continuait à les voir ? Dans ce cas, il n'était pas étonnant qu'elle eût tout fait pour se débarrasser de Tony Roberts qui n'aurait fait que lui mettre des bâtons dans les roues…

« Et si tu divaguais, Jyce Riley ? Si ton obsession de coincer les assassins de Gibb te tapait sur la tête ? »

Peut-être. Mais il avait besoin de le vérifier. Il fonça donc jusqu'à la station-service où la décapotable était désossée. Il nota le numéro, en profita pour distribuer quelques petites annonces à la caisse, puis redémarra en téléphonant à Pat.

— Ton 4x4 n'a pas encore été repéré, lui dit le shérif, mais une demande de carte grise a bien été déposée au nom de Dana Turner. Sa plaque actuelle vient de Californie.

— Celle de Tony Roberts aussi. J'aimerais que tu te renseignes sur les deux.

Il fit au shérif un bref topo du dernier rebondissement.

Pat émit un sifflement.

— J'ai l'impression que tu brûles, fiston. Accroche-toi : on va les avoir, ces fumiers ! Ça ne nous rendra pas Gibb, mais ils paieront pour leur crime.

Sans doute. Mais Jyce ne se sentait plus dévoré par le besoin de vengeance, et il se demandait bien pourquoi.

En ramenant la fourgonnette au dépôt d'IPS, à Alpine, il était d'humeur si sombre qu'il fut incapable d'échanger la moindre plaisanterie avec ses collègues. Il s'engouffra dans sa voiture, et rentra directement dans l'appartement meublé qu'il louait pour ses deux mois de mission — pas un jour de plus.

Il décapsula une cannette de bière fraîche. Ses frustrations venaient sans doute du peu d'éléments dont il disposait. Rien que des spéculations : pas de quoi vendre la peau de l'ours. Il avait de grandes chances de se tromper, et le temps passait inexorablement.

Ce fut sous le jet de la douche que la réalité le frappa comme une tonne de briques. Il *voulait* se tromper. Il *préférait* que les événements de la journée n'eussent aucun rapport avec les tueurs.

Jyce ne songeait pas à nier qu'il eût éprouvé une attirance physique pour Dana Turner, mais le choc avait dû être beaucoup plus intense qu'il ne l'imaginait. Cette femme avait réveillé en lui des émotions qu'il croyait avoir enterrées avec Cassie.

Nom d'un chien, pourquoi fallait-il qu'une tuile pareille lui tombe dessus ?

Il finissait de se sécher quand le téléphone sonna. Soudain, l'idée que Dana eût été découverte étranglée dans sa voiture lui traversa l'esprit. Il se précipita en costume d'Adam.

C'était Pat qui l'appelait.

— Du nouveau ? lui demanda-t-il d'une voix un peu lasse.

— Sur Anthony Roberts, oui. Vingt-neuf ans, résidant à Irvine, Californie. Un agneau. Trois excès de vitesse en dix ans de permis. Aucune condamnation, casier vierge. Bien sûr, nous ne relâchons pas la vigilance pour autant ; le service de sécurité d'Indian Lodge le tient à l'œil.

— Et Dana Turner ?

— Rien encore. Je te préviendrai. De toute façon, tant qu'on n'aura pas repéré sa voiture, on demandera au mécano de garder celle de Roberts sous un prétexte quelconque.

— Merci, Pat.

A peine avait-il raccroché que la sonnerie retentissait de nouveau. Cette fois c'était Buck, le jeune frère de Jyce, dont il avait toujours été très proche.

— Comment va, Buck ?

— Moi, bien. Et toi ?

— Pas trop.

— Je m'en doutais : si tu avais eu une piste, tu m'aurais appelé !

Jyce crispa les mâchoires.

— Il ne me reste plus qu'une dizaine de jours.

— Au moins, tu as une excuse valable pour échapper à la réunion de famille, cette année ! lança Buck en riant.

44

— Tu exagères !

— Mais non ! Je sais bien que, sans Cassie, nos réunions sont un calvaire pour toi. Tous les ans, j'espère apprendre que tu as rencontré quelqu'un.

— Les rencontres ne me réussissent pas, murmura Jyce.

Il y eut un silence au bout du fil.

— Comment faut-il interpréter ça ?

— Ne t'emballe pas, Buck. Ma dernière rencontre pourrait très bien être impliquée dans l'assassinat de Gibb. J'attends des renseignements sur elle.

— Quoi ? Mais comment as-tu pu... ?

— Je n'ai rien décidé. Je crains que ce soit arrivé comme la foudre, si tu vois ce que je veux dire.

Buck eut un nouveau moment d'hésitation.

— Tu m'effraies, dit-il enfin. Et tu crois vraiment qu'elle...

— Ce que je sais, coupa Jyce, c'est que je ne *veux pas* le croire.

— Ça, je comprends ! Bon, je prie pour toi et je garde ça pour moi.

— Je t'ai toujours fait confiance. Dis aux parents que je les appellerai dimanche, histoire de participer au déjeuner.

— Ça leur fera plaisir. Sois prudent, Jyce.

— Un peu tardif, ton conseil, mais merci quand même.

Glen Mason gara le pick-up à l'arrière du ranch. Bien qu'il fût en colère, il ne claqua pas la portière. Il avait passé une partie de la nuit à attendre ce lâcheur de Lewis, qui devait passer au Gray Oak lui rendre sa cassette vidéo...

Il traversa la cuisine sur la pointe des pieds ; il était presque parvenu à sa chambre quand la voix de son grand-père le rattrapa.

— C'est toi, Glen ?

— Ouais, papy. Dors !

— C'est la deuxième fois, cette semaine, que tu rentres à 3 heures du matin.

— Mais j't'ai expliqué pourquoi : Dana travaille tard, alors on n'a pas pu descendre à Alpine avant 10 heures. Le temps de boire un pot, ça passe vite.

— Ne me parle pas sur ce ton, Glen ! Je te l'ai déjà demandé.

— 'Xcuse.

— M. Jorgenson a téléphoné, ce soir.

— Qu'est-ce qu'il voulait ?

— Il paraît que tu es arrivé très en retard, ce matin. Mais, évidemment, si tu passes la moitié de tes nuits dehors, tu ne peux pas être à la supérette à 8 heures, frais et dispos.

— De quoi il se plaint ? Je fais mon boulot.

— Là n'est pas la question, Glen. Depuis ton arrivée ici, tu n'as jamais gardé une place. M. Jorgenson a accepté de te prendre pour me faire plaisir, et je lui ai promis que tu serais sérieux. Tu sais à quel point il est difficile de trouver un emploi dans la région ; tu as de la chance d'avoir celui-là.

— Ouais.

— Ecoute, Glen, j'ai conscience que tu as souffert, que ton père t'a abandonné, et je voudrais rattraper le mal que mon fils t'a fait. Mais tu ne peux pas vivre à ta guise, profiter du confort, utiliser ma camionnette, sans y mettre un peu du tien. Je veux que tu prouves à M. Jorgenson que tu n'es pas un paresseux. Alors, à partir de maintenant,

46

pour que tu aies ton compte de sommeil, je décrète le couvre-feu à minuit.

— Minuit !

— Et si, au bout d'un mois, M. Jorgenson n'a pas d'autres plaintes à m'adresser, je reculerai à 1 heure du matin. Marché conclu ?

— Pouh ! Papy ! J'ai vingt-quatre ans !

— Peut-être, mais tu n'as aucun sens des responsabilités, et tu dois apprendre, Glen. Est-ce que Mlle Turner ne te le dit pas ? Comment veux-tu prendre soin d'une femme et fonder un foyer si tu n'es pas capable de garder un travail ? J'aimerais tellement te voir stabilisé avant de mourir.

Glen refoula les larmes qui lui picotaient les yeux.

— J'ai l'impression d'entendre m'man, toujours entre deux bouteilles et deux bonshommes, à me dire que j'étais bon à rien et que je finirais à la dérive, comme papa !

— N'aie pas ces vilaines pensées, mon petit. Je ne suis pas ta maman. Je crois en toi. Si elle n'a pas su voir tes qualités, moi, je les vois. Autrement, je ne me serais pas efforcé de t'aider pendant ces six derniers mois, malgré la difficulté que cela représentait. Cela dit, tu dois faire un effort de ton côté, sinon ma bonne volonté est complètement inutile.

— Te bile pas, grand-père, je vais réussir.

« Et plus vite que tu ne le crois », murmura-t-il pour lui-même.

3.

Jyce se tourna et se retourna dans son lit toute la nuit.
Quand il se leva, il n'avait pas l'impression d'avoir dormi.
A 6 heures, il quittait l'appartement.

Après un petit déjeuner sur le pouce au café du coin, il arriva en avance à IPS, et chargea sa fourgonnette sans traîner, s'arrangeant pour ne saluer que de loin ses collègues moins matinaux, de crainte qu'ils ne l'invitent à un dîner ou à une sortie pendant le week-end, car il était gêné de devoir toujours refuser.

Son début de tournée l'amena au Chihuahuan Desert. La petite annonce d'Art lui donna l'occasion de discuter à droite et à gauche, mais il ne glana rien d'intéressant.

En remontant sur Fort Davis, il avait l'estomac aussi serré qu'une corde à nœuds. Pourquoi Pat n'appelait-il pas ?

Le tintement du téléphone le surprit dans un virage. Son cœur se mit à battre plus vite. C'était l'heure de vérité qui sonnait. Son émotion lui paraissait presque disproportionnée. Décidément, cette femme l'avait complètement chamboulé...

Il décrocha avec l'impression de jouer sa vie.

— Salut, Pat. Quoi de neuf ?

— Toujours pas de 4x4, mais Dana Turner est un cas. Vingt-sept ans. Dernière résidence en date, tiens-toi bien : centre pénitentiaire Fielding, prison des femmes, San Bernardino, Californie. Condamnée à trente ans pour meurtre avec préméditation.

Jyce tenta de déglutir, mais sa bouche était trop sèche.

— Et ?

Ce fut le seul mot qu'il parvint à prononcer.

— Elle n'a purgé que sept mois. Le dossier a été réouvert, et le jugement précédent cassé. Elle est sortie libre à la mi-mai. Avant son arrestation, elle était domiciliée à Pasadena. C'est tout ce que j'ai appris par les voies administratives.

Jyce dut s'arrêter sur le bord de la route, tant il était bouleversé.

Dana Turner n'avait pas pu participer au braquage puisqu'elle était en prison pendant cette période, mais à quel meurtre avait-elle été mêlée ? Avec qui ? Les tueurs étaient-ils originaires de Californie ? Avait-elle commis d'autres vols à main armée avec eux ? Etaient-ils restés en contact pendant son séjour derrière les barreaux ? Etait-elle venue les rejoindre à Cloud Rim après sa libération ? Avait-elle évincé Tony Roberts parce que sa présence contrariait ses plans ?

— Jyce ? Tu m'entends ?

— Oui, murmura-t-il.

— Pas très causant, ce matin. Tu flaires le gibier, hein ?

— Hum. Peux-tu en savoir plus ? Son milieu, son métier, ses antécédents…

— C'est en Californie, Jyce. Tu connais le cloisonnement d'Etat à Etat. Sans mandat, impossible de s'informer sur la vie privée de quelqu'un, à moins de… Je vais voir si l'un de mes gars n'a pas un ami haut placé dans la police, du côté de San Diego.

— O.K. Je te revaudrai ça.

— Pas de dette entre nous : c'est pour Gibb.

Jyce avait l'impression que sa poitrine était serrée dans un étau.

Ou bien Dana Turner était une criminelle confirmée, relâchée grâce à un quelconque vice de procédure, ou bien c'était une innocente, venue grossir le rang de ces infortunés victimes d'erreurs judiciaires, condamnés à tort pendant que le vrai coupable était libre et s'apprêtait à perpétrer d'autres crimes.

Jyce ne respirerait pas librement tant qu'il n'aurait pas la réponse.

Il fut tenté de faire tout de suite un saut à la caravane, mais, la veille, ses clients de Fort Davis s'étaient plaints de son retard. Il poursuivit donc sa tournée sans faire de détour.

Il était 14 h 30 quand il monta à Cloud Rim. Le 4x4 blanc ne s'y trouvait toujours pas.

Plus que déçu, Jyce revint déjeuner au restaurant du village, Chez Millie, baptisé du nom de la patronne — une veuve très sympathique qui connaissait tout le monde et bavardait volontiers.

Quand il s'installa au bar, elle lui servit d'office un apéritif.

— Vous devez être lassé du hamburger, Jyce ! Essayez donc ma soupe de poisson, aujourd'hui ! Ensuite, je vous propose un sandwich salade et œuf mimosa.

— C'est plutôt tentant. J'accepte.

— Je vous apporte ça tout de suite.

Il n'y avait pas grand monde dans l'établissement, à cette heure-ci. Seuls quelques touristes s'attardaient au fond de la salle, et un garçon à la dégaine insolite alimentait le juke-box. Apparemment, c'était un fan d'Elvis Presley.

Longue chevelure filasse et barbichette miteuse, des bottes de cow-boy éculées, un jean avec un gilet de mouton râpé sans chemise, il semblait sortir tout droit d'un vieux western de série B.

— Voilà, je vous ai servi copieusement. J'espère que vous aimerez.

— Je ne serais pas ici tous les jours si je n'appréciais pas votre cuisine, Millie, répliqua Jyce avec un clin d'œil.

La patronne feignit la modestie.

— Je tiens la seule gargote du village : vous n'avez pas le choix.

— Si, je pourrais m'arrêter à Fort Davis. Mais quand je pense à votre tarte au pécan caramélisée...

— Message reçu. Je crois qu'il m'en reste une belle part...

— Attendez.

Jyce se pencha par-dessus son plateau.

— D'abord, dites-moi si vous connaissez ce garçon, là-bas ? Il me semble que c'est Jimmy Stowe, un ami de mon jeune frère, mais la dernière fois que je l'ai vu, il venait de s'engager dans les G.I.

Millie secoua la tête en chuchotant :

— Non. C'est Glen Mason, le petit-fils de Ralph. Un pauvre gosse qui a eu une enfance désastreuse : la mère buvait, le père les a abandonnés... Il a débarqué à Noël, et Ralph l'a pris sous son aile. Le brave homme essaye de rattraper les déficiences de son propre fils, mais il a du mal à redresser la barre.

Jyce était extrêmement intéressé. *Noël ?* Il s'efforça de sourire.

— J'ai bien fait de vous poser la question, Millie. La ressemblance est étonnante.

— Il paraît que tout le monde a son sosie, quelque part sur terre.

— On le dit. Ce n'est pas pour changer de sujet, mais votre soupe de poisson était succulente.

Elle lui adressa un sourire entendu.

— Je vous apporte le dessert.

Derrière les étagères du comptoir, le mur était tapissé d'un miroir grâce auquel Jyce put observer tout à loisir le petit-fils de Ralph Mason.

Glen devait avoir une vingtaine d'années. Avachi contre le juke-box, maigre et nerveux, les épaules rentrées, il incarnait l'image de la solitude — cette sorte de solitude tragique qui résultait de la maltraitance, la négligence, l'abandon, et qui transformait des enfants fragiles en délinquants et en drogués.

Après avoir englouti une double portion de dessert, Jyce posa trois billets à côté de son assiette.

— Vous me donnez trop ! lança Millie en voulant lui en rendre une partie.

— Tout était délicieux ! Ne gâchez pas mon plaisir. A lundi, Millie.

L'information qu'elle venait de lui fournir méritait un pourboire infiniment plus important. Depuis six semaines que Jyce ratissait les Davis Mountains, c'était la première fois qu'il entendait parler d'un énergumène arrivé dans la région au moment où l'on avait perdu toute trace des tueurs.

Et, en plus, c'était le petit-fils de l'homme qui louait une caravane à Dana Turner !

S'il arrivait à établir qu'il existait un lien entre les deux…

52

Les leçons de Gibb lui revinrent à l'esprit : « Une enquête ardue, c'est comme une bague trop serrée que tu dois retirer. Tu commences par tourner dans tous les sens, puis tu mets du savon et, si elle résiste toujours, tu essayes une goutte d'huile. Quand rien n'a fonctionné, à la fin, tu deviens réellement inventif : par exemple, tu fais un régime pour faire dégonfler ton doigt. Il y a une règle, en tout cas : ne jamais le couper avant qu'il ne soit menacé par la gangrène. »

Au bout d'un mois et demi d'efforts infructueux, Jyce décida qu'il était temps de passer au stade inventif.

Et, à ce niveau-là, s'il tenait une piste, il n'avait pas le droit de laisser ses sentiments personnels interférer dans l'enquête.

Dana et Glen étaient tous deux nouveaux dans la région, et ils avaient, l'un et l'autre, un passé chaotique...

Que pouvait contenir cette enveloppe qu'il avait apportée à la jeune femme, hier ? Et pourquoi désirait-elle que ses paquets ne fussent plus livrés au ranch ? Glen l'avait-il incitée à réduire les contacts avec son grand-père, de crainte qu'il ne découvrît leur association ou qu'il ne parlât trop volontiers aux étrangers ?

Passée l'heure de la sieste, Jyce irait faire un brin de causette avec le vieil homme. Tout ce qu'il pourrait lui apprendre sur Glen serait du temps de gagné. Et le temps devenait peau de chagrin.

Pour multiplier ses chances, il rappela Pat afin qu'il se renseignât sur Glen de son côté.

Puis il effectua ses livraisons sans s'attarder avec les clients, sauf à la quincaillerie où Art Watkins lui offrit six cannettes de Coca pour le remercier d'avoir distribué ses petites annonces.

Sa tournée enfin terminée, Jyce fonça au ranch Mason.

Echec à tous les niveaux. Pas de voiture du côté de la caravane, mais une camionnette à plateau stationnait devant la maison : c'était le pick-up bleu passablement défraîchi qu'il avait croisé, un peu plus tôt, derrière la supérette. Glen était au volant.

S'il était avec son grand-père, impossible de bavarder avec le vieil homme.

Jouant au livreur qui s'était trompé de route, Jyce s'en alla. Il repasserait plus tard, dans sa propre voiture qui était moins voyante que la fourgonnette d'IPS.

Le week-end, Jyce emportait sa tente et sillonnait la montagne, à la recherche d'une grange assez spacieuse pour abriter un petit bimoteur et lui permettre d'atterrir. Les nuits étaient fraîches mais splendides, en altitude. La plupart du temps, il dormait à la belle étoile.

Il n'avait pas encore prospecté le sommet du mont Luna qui surplombait Cloud Rim. A l'orée du village, il emprunta un sentier poussiéreux qui, peut-être, y conduisait...

Depuis sa relaxe, Dana était ivre de liberté et, jusqu'ici, elle avait cru que cet état suffirait à son bonheur. Mais, depuis sa conversation avec Heidi, elle n'en était plus absolument convaincue.

Elle avait dormi à l'observatoire et s'était mise à travailler dès son réveil. Seulement, le ver était dans le fruit. Pour la première fois depuis son arrivée à Cloud Rim, la fiancée des étoiles avait conscience qu'on était vendredi et qu'elle allait passer le week-end toute seule.

L'attirance incontrôlable qu'elle avait éprouvée pour le livreur d'IPS lui prouvait à quel point elle était encore

vulnérable. Qu'il fût marié, remarié ou qu'il vécût en con-
cubinage, cela ne changeait rien à l'affaire. Cet homme
avait envahi ses pensées, et son cœur refusait d'entendre
raison.

Et pourtant, Dana avait fréquenté assez de types
médiocres pour se méfier de ses engouements... Tony
Roberts, notamment, était un bon exemple de ses erreurs
passées.

Elle doutait que Tony osât venir la relancer, mais Heidi
lui avait conseillé de s'évader pour le week-end, et l'idée
lui trottait par la tête. Cette escapade lui permettrait, en
même temps, d'éviter Glen... Celui-là, de toute façon, elle
l'enverrait sur les roses la prochaine fois qu'il surgirait.

Millie Johnston, une amie d'enfance de sa mère, lui avait
vanté le somptueux buffet du Pride Ranch, ses grillades
au barbecue et ses délicieuses tartes du verger.

Situé sur les hauteurs de Fort Davis, le Pride était une
station de vacances qui proposait toutes sortes d'activités,
comme la piscine, le tennis, l'équitation et un programme
d'initiation à l'astronomie pour la jeune génération.

Ce serait une occasion de rencontrer des gens intéres-
sants et, si le courant passait avec les organisateurs, elle
pourrait même inviter des groupes de jeunes à visiter
l'observatoire.

La décision fut vite prise. Le temps de passer à la
caravane pour boucler son sac, elle serait à Pride Ranch
pour le dîner...

Dana fit demi-tour sur la vaste esplanade de terre ni-
velée. Un jour, l'observatoire recevrait des séminaires de
chercheurs, et le parvis serait bitumé pour accueillir des
avions taxis, mais l'aménagement n'en était pas encore là.
Ce serait la dernière tranche du chantier, qui reprendrait à
l'automne. Cette année avait été consacrée aux installations

intérieures. Chaque chose en son temps. Le site n'était même pas encore clôturé : un simple panneau « Propriété privée — Accès interdit » en fixait la limite.

Par bonheur, la future route avait été tracée de l'autre côté de la montagne, et Dana l'empruntait déjà.

Elle adorait ce chemin qui serpentait entre rochers et buissons de genièvres... Tout à coup, elle sentit les battements de son cœur s'accélérer.

Au détour d'un lacet, un fourgon d'IPS gravissait la côte. En la voyant débouler, le conducteur déporta son véhicule dans les fourrés, de façon à lui laisser le passage.

C'était *son* livreur !

En proie à une vive excitation, Dana s'arrêta à sa hauteur. Décidément, ses yeux de velours noir étaient magnifiques. Comme tout le reste. Cet avant-bras tanné appuyé à la portière... Elle n'avait absolument pas exagéré le portrait qu'elle avait fait à Heidi.

— Encore vous ! lança-t-elle sur le ton de la plaisanterie.

— Bonsoir, répondit-il. Vous vous promenez ?

Cette voix grave et chaude...

— J'ai terminé ma journée de travail. Je suis surprise de vous croiser à cette heure-ci : vous travaillez tard !

Il rajusta son rétroviseur extérieur, ce qui permit à la jeune femme de noter qu'il ne portait pas d'alliance.

— Vous m'apportiez un paquet ?

Il fronça les sourcils, comme si le sens de la question lui échappait.

— Non. Il n'y avait rien pour vous, aujourd'hui...

Zut ! Alors, il ne montait pas *la* voir ! Sur cette route, elle avait présumé que...

— Je crains de m'être égaré, poursuivit-il. Je cherche un certain Shelby Norris. On m'a dit...

56

Dana redémarra en catastrophe.

— Ça n'est pas par là. Demandez au village. Bonsoir.

L'idiote ! Pourquoi ne l'avait-elle pas laissé parler le premier ? Qu'avait-elle imaginé ? Qu'il s'était renseigné sur l'endroit où elle travaillait pour avoir le plaisir de lui remettre ses paquets en main propre ? C'était complètement idiot.

« Et maintenant, il va penser que je l'aguiche ! songea-t-elle. Ce qui ne me différenciera pas des autres femmes, je suppose. »

Sidéré, Jyce suivit du regard sa voiture qui dévorait la caillasse du chemin en contrebas, à toute vitesse, comme si elle avait le diable aux trousses.

Il avait pourtant pris soin d'inventer cette histoire de Shelby Norris pour la rassurer. Pour qu'elle n'aille pas s'imaginer qu'il la recherchait ou la surveillait.

Que faisait-elle sur ce sentier perdu ? Et pourquoi cette brusque fuite ?

Parfois, la mauvaise conscience provoquait des réactions aberrantes. Dana Turner venait de se comporter en coupable, comme s'il l'avait prise la main dans le sac. Car, pour quel autre motif aurait-elle détalé comme une biche affolée ?

« J'ai terminé ma journée de travail… » Avait-elle voulu insinuer qu'elle travaillait là-haut ? Quelle sorte d'activité pouvait-on pratiquer, si loin de toute civilisation ?

Jyce brûlait de lui courir après, mais il préféra la laisser se remettre de ses frayeurs. D'autant que, si elle ne rentrait pas à la caravane, il ne la rattraperait jamais. Sa fourgonnette était beaucoup moins performante qu'un tout-terrain.

Avec un soupir d'exaspération, il décapsula une cannette de Coca, puis s'empara de son téléphone pour annoncer à Pat que le 4x4 blanc était réapparu sans une égratignure.

Dana était retrouvée. Sans une égratignure, elle non plus, Dieu merci !

Seul problème : si Jyce avait espéré que l'auréole de splendeur qu'il avait tressée à la belle pâlirait à la prochaine rencontre, il s'était leurré. Aucune chance.

Son regard l'avait tellement troublé qu'il avait dû tripatouiller son rétroviseur pour éviter de rester bouche bée, à la contempler !

Après s'être désaltéré, il poursuivit son escalade, plus curieux que jamais de voir où aboutissait ce raidillon. A un certain moment, il dépassa sans scrupule une pancarte d'accès interdit. Et, au sommet...

Pour le coup, ce fut lui qui demeura interdit.

— Ça, alors ! murmura-t-il en contemplant l'imposante structure coiffée d'un dôme d'une vingtaine de mètres de diamètre.

Un observatoire ! Au milieu d'un terrain vague !

Son immense coupole blanche se détachait sur le ciel, et semblait dominer le monde. La vue plongeait jusqu'à l'horizon, de tous côtés. C'était le paysage le plus grandiose des Davis Mountains.

Jyce prit les jumelles qui ne quittaient jamais son sac à dos, et fit le tour à pied.

Une piste avait été ouverte pour les travaux, sur l'autre versant, mais, depuis, l'herbe avait repoussé dans les empreintes laissées par les camions et les bulldozers.

Le chantier était abandonné depuis plusieurs mois.

L'endroit semblait déserté. Apparemment, le dôme était une coquille vide.

Millie devait tout savoir sur ce projet et son abandon — probablement pour des raisons financières. Mais, maintenant qu'il avait croisé Dana sur le chemin, Jyce se demandait s'il était judicieux de questionner les gens du village. Elle aussi pouvait leur parler, se renseigner subtilement pour savoir si quelqu'un s'intéressait à ses allées et venues.

Qu'est-ce que Dana Turner pouvait fabriquer ici ?

Profitant de ce lieu d'observation inégalable, Jyce scruta la montagne dans toutes les directions, mais il ne détecta rien qui pût évoquer une épave de zinc. Les hélicoptères de la gendarmerie avaient survolé la zone pendant des semaines, en coopération avec la douane mexicaine. Ils étaient tous rentrés bredouilles.

D'où la conclusion que les malfrats s'étaient évaporés dans la Sierra Madre. Seulement, Jyce n'adhérait pas à cette théorie.

Si leur but avait été le Mexique, ils auraient franchi la frontière au plus près. Pas besoin de monter jusque-là.

D'après Jyce, l'un des deux braqueurs savait piloter et connaissait dans le coin un endroit où atterrir et dissimuler l'appareil.

Tout en ressassant ses suppositions, Jyce s'approcha de l'édifice. Une porte était aménagée sur le côté d'un grand portail. L'ensemble était blindé, absolument hermétique, et le verrouillage était nanti d'un système de sécurité inviolable.

De toute évidence, si Dana Turner y avait ses entrées, elle possédait une clé. Avait-elle travaillé pour les entrepreneurs, avant son séjour en prison ?

Le portail était nettement assez large pour permettre de faire entrer un fuselage et deux ailes démontées... Se pouvait-il que cet édifice abandonné fût le repère des assassins de Gibb ? C'était un point de ralliement idéal, surtout si une femme leur servait d'éclaireur.

Après quelques minutes de vaines spéculations, Jyce reprit la fourgonnette et redescendit par le même chemin. Il reviendrait ce soir avec sa propre voiture explorer la piste des bulldozers, qui semblait déboucher du côté de Big Bend, à une bonne vingtaine de kilomètres à l'opposé de Cloud Rim.

Pour l'heure, il allait tenter d'apaiser les angoisses de Mlle Turner, peut-être l'inviter chez Millie si elle n'avait pas encore dîné — en plus, ça lui permettrait de parler d'elle à la patronne, ultérieurement.

Le 4x4 n'était pas dans les environs. Rien d'étonnant, un vendredi soir. Mais tiens, tiens... Glen Mason sortait de la caravane. Il avait troqué son gilet contre une chemise western.

Jyce sauta de son véhicule.

— Bonsoir. Je crois que nous nous sommes vus, tout à l'heure, au café.

Glen réagit comme s'il avait parfaitement le droit de se trouver là.

— Ouais. J'habite au ranch. Dana loue cette caravane à mon grand-père ; je m'occupe de l'entretien.

Il éprouvait quand même le besoin de se justifier, songea Jyce.

— Ralph Mason est votre grand-père ? J'ai eu l'occasion de le rencontrer : c'est un véritable gentleman.

— Si vous avez un paquet pour Dana, je lui donnerai, déclara Glen sans embrayer sur le panégyrique du vieil homme.

— Non, je n'ai pas de paquet : juste un papier.

Jyce passa délibérément devant lui, et alla coincer le formulaire plié dans le cadre de la porte.

Le simili cow-boy virevolta sur les talons de ses bottes, les pouces crochetés dans les poches de son jean.

— Vous travaillez vachement tard.

— Oui, répondit Jyce. Vous pourriez peut-être m'aider ? J'ai un colis pour un certain Shelby Norris ; je tourne depuis une heure sans succès. Je pensais aller demander à votre grand-père si…

— Pas la peine. Je connais tout le monde, ici : y a personne de ce nom-là.

— Tant pis. Merci quand même… Dites, pendant que nous sommes entre hommes, vous pourriez peut-être me filer un autre tuyau ?

— Quel genre de tuyau ?

— Vous semblez en bons termes avec Mlle Turner. Vous savez si elle fréquente quelqu'un ?

— En quoi ça vous regarde ?

— Je veux juste savoir s'il y a de la compétition. C'est la plus belle femme que j'aie croisée sur ma tournée.

Une lueur haineuse apparut dans les yeux bleu pâle de Glen.

— Dana est avec moi.

Jyce ne pouvait l'imaginer en aucun cas.

— Ah bon ! Alors, le type qui est monté pour passer la nuit avec elle, hier, ce n'était qu'un copain ? Son frère, peut-être ?

— Quel type ?

Glen était rouge de colère, à présent.

— Celui que j'ai pris en stop à Fort Davis… Euh, désolé si j'ai fait une gaffe : oubliez ça.

Jyce alla rejoindre la fourgonnette. Le temps qu'il y grimpe, Glen l'avait rattrapé.

— Qui c'était, ce type ? Son nom ?

— Aucune idée. C'est à elle qu'il faut poser la question.

— Quel âge il avait ?

Jyce haussa les épaules d'un air évasif.

— La trentaine ? lui demanda son interlocuteur d'un ton pressant.

Jyce eut une mimique évasive.

— Cheveux châtain ?

Il hocha la tête.

— Un mètre quatre-vingts ?

— A peu près.

Jyce démarra, plantant là un Glen Mason désagrégé.

Il semblait avoir une idée assez précise de la personnalité du visiteur de Dana. Et sa jalousie féroce prouvait que l'amour de Dana Turner ne lui était pas acquis. Peut-être existait-il un lien entre eux, mais sûrement pas de cette nature.

En revanche, si le deuxième larron du tandem tournait autour d'elle, leur rivalité pourrait s'avérer utile et contribuer à leur perte — en supposant, bien sûr, qu'ils soient les deux vermines après lesquelles il courait.

Au fait, Dana Turner savait-elle que le petit-fils de son propriétaire entrait chez elle en son absence avec un double de la clé ?

Alors qu'il ralentissait dans le village, toujours en quête de ce 4x4 blanc — cela devenait une obsession —, la camionnette bleue le dépassa en trombe. Jyce accéléra dans son sillage : ce pouvait être intéressant de suivre Glen à distance tout en regagnant le dépôt d'IPS.

Le déclin du soleil étirait les ombres, débarrassant le macadam des réverbérations aveuglantes. Au loin, le pick-up fonçait dans les méandres à tombeau ouvert. Jyce craignit de l'avoir perdu à l'entrée de Fort Davis, mais les feux rouges jouèrent en sa faveur.

Après avoir traversé le centre-ville devant lui, Glen prit la direction d'Alpine.

A partir de là, Jyce préféra ne pas risquer de se faire repérer dans une course-poursuite. Il appela Pat Hardy. A cette heure-ci, le shérif était avec sa femme et ses enfants.

— Désolé de te déranger chez toi.

— Je t'en prie. C'est moi qui suis navré : je n'ai pas encore reçu d'informations sur Glen Mason.

— Je n'en attendais pas si rapidement. Je t'appelle parce qu'il est devant moi, sur la route d'Alpine ; il se dirige vers ton fief. Tu peux le faire prendre en filature ? Avec ordre de ne pas l'arrêter. Je veux savoir où il va, qui il voit, et cela sans qu'il puisse soupçonner qu'il est surveillé.

— Je m'en occupe tout de suite, promit Pat après avoir noté le signalement et le numéro de la camionnette.

— Merci.

— Tu feras un tour en montagne, ce week-end ?

— Oui. Dans les environs de Cloud Rim : c'est le seul secteur que je n'aie pas encore prospecté.

Il avait très envie de parler à Pat de l'observatoire, mais il se retint afin de le laisser dîner tranquillement.

— Bonne chance, Jyce.

— J'en ai grand besoin.

Dès qu'il aurait récupéré sa voiture, il remonterait là-haut. Peut-être que Dana serait rentrée… Bien sûr, il était impatient d'avoir cette conversation avec elle. Quoi de plus normal ? Elle était devenue le pivot de son enquête…

« Ne te raconte pas de balivernes, Riley. »

En sept ans, Jyce était sorti avec quelques femmes qui ne demandaient rien de plus qu'une relation légère et épisodique. Ses pulsions sexuelles étaient bien réelles, mais il lui semblait que la faculté d'éprouver des sentiments était morte en lui avec le dernier souffle de Cassie.

Quelle magie Dana Turner pouvait-elle posséder pour ressusciter le désir, la tendresse… des émotions si profondes, après toutes ces années d'hibernation ?

Apparemment, la belle était enlisée dans un bourbier auquel il ne voulait même pas penser.

4.

Le samedi soir, tandis qu'elle regagnait la caravane, Dana suivit une brusque impulsion, et bifurqua dans le chemin de l'observatoire. Ce fut en gravissant la côte qu'elle analysa son geste : inconsciemment, elle évitait Glen Mason. Elle n'était pas d'humeur à gérer cette situation.

Un week-end au Pride Ranch, ça devait être idyllique, en couple, mais l'ambiance accueillante et amicale qui y régnait n'avait fait qu'aggraver son sentiment de solitude.

Pourquoi ce livreur d'IPS continuait-il à la hanter ?

Son seul véritable plaisir, la veille, avait été de rencontrer les fervents responsables du programme d'astronomie junior : Bob et Cathy Mitchell. Evidemment, sa proposition les avait enthousiasmés. Il était convenu qu'une dizaine d'enfants monterait mardi soir au mont Luna. La session extraordinaire était déjà intitulée « Festival des étoiles ». Dana était certaine de ne pas les décevoir.

Dès qu'elle arriva au sommet, Dana n'eut plus qu'une idée : s'absorber dans son travail. Elle savait que nulle part ailleurs elle ne trouverait de meilleure évasion.

Pleine d'entrain, elle sauta de son siège en oubliant ses courbatures. Le mouvement lui arracha une grimace. Après un an d'interruption, elle avait eu du mal à remonter à cheval. Et, en plus, elle avait pris des coups de soleil…

Alors qu'elle s'apprêtait à entrer dans l'observatoire, une voiture arriva sur le côté. C'était un tout-terrain vert à quatre portes, un modèle des plus courants dans la région.

A la fois soulagée que ce ne fût pas un pick-up bleu, et sur ses gardes parce que l'endroit était plutôt isolé, Dana attendit de voir si elle connaissait...

Oui. Et elle l'aurait reconnu n'importe où.

Il se gara, ouvrit sa portière et déplia son grand corps magnifique — le genre de corps qu'une femme n'oublie pas, même sans uniforme kaki. Le jean moulait les longs muscles de ses cuisses ; son polo soulignait la largeur de ses épaules ; le coucher de soleil ciselait la rudesse de ses traits et se reflétait dans l'or noir de ses cheveux ondulés... Dana en oubliait de respirer.

— Bonsoir, mademoiselle Turner.

— Bonsoir. Vous me prenez au dépourvu ; je crains de ne pas être à mon avantage.

Il avança sans la quitter des yeux.

— Hier, vous vous êtes envolée si vite que je n'ai pas eu le temps de me présenter. Jyce Riley.

Jyce. Un prénom original qui lui allait bien. Elle aimait.

— Enchantée.

Elle eut l'impression qu'il happait sa main dans la sienne.

— J'avais envie de vous revoir. J'espère que ça ne vous contrarie pas.

Dana s'interdit toute interprétation hâtive. Jyce Riley était monté jusqu'ici pour lui parler, c'était certain, mais de quoi ? Qu'attendait-il d'elle, exactement ?

— Une raison particulière ?

Il sourit.

— La plus vieille raison du monde, sans doute.

Dana avait de plus en plus de mal à croire ce qu'elle entendait.

— J'aimerais vous inviter à dîner, ajouta-t-il.

Elle battit des paupières d'un air un peu égaré.

— Maintenant ?

— Oui.

Cette invitation la ravissait, mais les déconvenues qu'elle avait déjà vécues la rendaient prudente. Après ses déboires avec Tony, elle ne pouvait plus croire aveuglément que l'intérêt d'un homme fût... désintéressé.

D'autre part, même si elle rêvait d'une relation sérieuse, elle était consciente que son statut d'ex-détenue pouvait dissuader les soupirants les plus ardents. Même un homme aussi solide et équilibré que Jyce Riley.

— C'est très gentil, mais j'ai déjà dîné et j'ai du travail, dit-elle.

Il la dévisagea longuement, comme s'il cherchait à lire au fond de son âme.

— Est-ce une façon polie de me dire que vous êtes engagée ailleurs ?

— Ecoutez, monsieur Riley...

— Jyce.

— Jyce, d'accord. Ecoutez, je n'ai pas le temps...

— Rien qu'une question, coupa-t-il, pour ma gouverne... Je suis passé chez vous, hier, en espérant vous trouver. Je suis tombé sur Glen Mason. Il prétend que vous êtes sa petite amie.

Elle le regarda d'un air furieux. Dieu qu'elle était belle !

— C'est absurde ! cria-t-elle. Ce garçon est un véritable pot de colle. Depuis un mois que j'ai emménagé, il ne cesse de m'importuner !

C'était déjà un point acquis. Jyce passa aussitôt au deuxième :

— J'ai, effectivement, pensé qu'il affabulait. En revanche, j'ai pris Tony Roberts beaucoup plus au sérieux quand il m'a affirmé qu'il était votre… petit ami.

Dana se mordit la lèvre sans répondre.

— … Du moins, poursuivit Jyce, jusqu'au moment où je l'ai repris en stop dans l'autre sens. Pour un tourtereau pressé de rejoindre sa femme, il n'est pas resté longt…

— Je n'ai jamais été sa femme !

Elle avait les joues en feu.

— Je suis sortie avec lui une dizaine de fois, puis j'ai rompu définitivement. Si Tony s'était présenté seul à la caravane, il n'en aurait jamais franchi le seuil.

— Autrement dit, c'est pour vous débarrasser de moi que vous l'avez invité à entrer ?

Sa subtilité la fit sourire.

Peut-être était-il au courant pour le revolver ? Dans ce cas, il ne se laissait pas décourager facilement. Au premier regard, il lui avait donné l'impression d'être un roc capable de tout affronter. L'impression se renforçait.

— Que faites-vous dans la vie ?

Cette question la surprit.

— Tony ne vous l'a pas dit ?

— Non. A l'aller comme au retour, il m'a surtout fait sentir qu'il aurait préféré se passer de mes services.

— Si sa voiture était en panne, il n'avait qu'à en louer une !

— Dans ce cas, j'aurais déposé votre paquet au ranch, et j'aurais été privé du plaisir de vous rencontrer, répondit Jyce tranquillement.

Leurs regards se croisèrent et ne se quittèrent pas.

— Ça vous ennuierait que j'entre un instant ? A moins que votre travail soit un domaine réservé ?

Non et oui — dans cet ordre.

— Si vous y tenez.

— Je tiens surtout à faire plus ample connaissance avec vous. Je pensais que vous l'aviez deviné.

Ce fut alors que Dana remarqua l'alliance, à sa main droite.

— Etes-vous divorcé, Jyce ?

— Non. Ma femme est décédée d'un cancer, il y a sept ans.

— Désolée.

Elle baissa les yeux.

— Avez-vous des enfants ?

— Non.

Il avait prononcé ce tout petit mot avec une voix chargée d'émotion. Il contenait toute une vie, l'amour, les rêves écroulés... Dana était tout à fait en mesure de le comprendre.

Elle ouvrit la porte et alluma la lumière.

— Bienvenue dans mon univers.

Pendant qu'elle refermait derrière lui, Jyce se figea, médusé, fasciné.

Comment avait-il pu se tromper aussi lourdement ? Il en serait mort de honte... Fallait-il qu'il fût obnubilé par sa chasse à l'homme pour ne pas avoir envisagé une seconde que l'observatoire pût être opérationnel !

Nom d'un chien ! Si c'était *ça* son univers, alors cela signifiait qu'elle était...

— Installez-vous dans mon bureau, à droite : je vous apporte quelque chose à grignoter.

Estourbi de soulagement autant que de stupéfaction, Jyce chancelait presque en pénétrant dans le sanctuaire de la jeune femme, digne d'un vaisseau spatial.

L'endroit était équipé de toutes sortes d'ordinateurs, machines, écrans et imprimantes. Des images éblouissantes de constellations, de nébuleuses et de planètes couvraient les murs. Un paradis pour astronome.

Quelques photos encadrées, posées sur une table de travail, apportaient une touche intime. Dana ne figurait que sur l'un des clichés, probablement avec ses parents, bien qu'ils fussent tous deux blonds et plus petits qu'elle. Dans un autre cadre, un couple se souriait, visiblement amoureux. L'homme avait un visage franc, et la femme était dotée d'une chevelure d'un roux vénitien incroyable. Il y avait aussi une adorable petite fille de type hispanique, un adolescent avec un beagle qui lui léchait le menton, et le portrait d'une adolescente blonde. Etaient-ce les membres de sa famille ?

— Désolée, c'est tout ce que je peux vous offrir un samedi soir : je fais mes courses le lundi.

Elle lui apportait une assiette en carton garnie de chips, une bouteille d'orangeade et une serviette en papier.

— Asseyez-vous, je vous en prie. Je vais me chercher un autre siège dans le bureau de mon père.

Elle avait disparu avant qu'il pût lui proposer son aide.

Elle revint avec un fauteuil à roulettes identique au sien.

— Vous ne buvez pas avec moi ? lui demanda Jyce en s'asseyant.

— Non. Je rentre du Pride Ranch : je m'y suis gavée.

Il s'interrogeait sur son escapade. Chaque réponse à ses questions non formulées l'enchantait.

— Ah, voilà où vous avez attrapé ce coup de soleil !

Il attaqua les chips.

— Oui. Je me suis endormie sur un transat, à la piscine. Ensuite, j'ai passé un après-midi à cheval. Vous voyez : je ne peux m'en prendre qu'à moi.

— Vous étiez avec quelqu'un ?

Elle le regarda avec franchise.

— Non. J'avais besoin d'un répit, et je voulais voir...

Elle lui parla de son projet de faire visiter l'observatoire à des gamins du cours élémentaire.

Tout, en elle, le charmait et le captivait. Le timbre légèrement voilé de sa voix, sa passion communicative...

— Et vous ? lui demanda-t-il. Quand avez-vous découvert votre vocation ?

Elle lui désigna la photo qui était bien celle de ses parents.

— Mon père est directeur de recherches au mont Palomar. Il m'a transmis le feu sacré quand j'étais encore une petite fille.

Jyce était à la fois impressionné et soucieux de tout comprendre.

— Palomar, n'est-ce pas lié à CalTech et à la NASA ?

— Si. J'ai fait mes études à l'université de Pasadena ; c'est là que j'ai passé mon agrégation en astrophysique.

Et, pendant son parcours, elle avait été emprisonnée pour meurtre avec préméditation ? Ça n'avait aucun sens.

Il avala une longue gorgée d'orangeade.

— Alors, cet observatoire est une propriété de l'Académie ?

— Non, c'est le chef-d'œuvre de papa. Le terrain appartient à ma mère.

Les pièces s'emboîtaient plus vite que Jyce ne l'aurait cru.

— Votre mère est originaire d'ici ?

— Oui. Mes grands-parents étaient fermiers, du côté de Big Bend. Ils ont eu la malchance d'avoir une fille qui préférait l'algèbre à l'agriculture : maman est prof de maths. Mais elle était attachée au mont Luna, et ils lui ont légué la parcelle quand ils ont vendu leurs terres. C'est l'un des meilleurs emplacements pour étudier le ciel. Papa rêvait d'y créer son propre observatoire. Le rêve s'est réalisé l'année dernière. Il est subventionné par des sociétés privées qui investissent dans ses futures découvertes. Quant à moi, je suis reliée à ma base de CalTech ; je prépare mon doctorat.

— Et quel en est le sujet ?

— Europa, une des lunes de Jupiter. Là, sur le tableau… C'est papa qui me les a envoyées, et c'est vous qui me les avez livrées, hier.

— Je présume qu'elles ont quelque chose de spécial ?

— Très.

Ses yeux gris-vert scintillaient comme des étoiles.

— Expliquez-moi.

— Je vous ferais mourir d'ennui.

— Impossible.

— Ne me dites pas que vous ne vous êtes jamais endormi pendant un cours d'astronomie !

— Matière facultative : je n'avais pas choisi l'option.

— Ah, je comprends mieux votre témérité.

Il se mit à rire.

— Je ne demande qu'un exposé sommaire, à mon niveau.

— Vous insistez ?

— Absolument.

Il crut défaillir quand elle croisa ses longues jambes superbes. Dana Turner rendait vie à tous ses sens.

— En deux mots, les astronomes modernes sont comme les héros de *Star Trek*, qui cherchent la vie sur d'autres planètes. Et ces photos tendent à prouver qu'il existe une possibilité de vie sur Europa.

— Des créatures extraterrestres ? Des petits hommes verts ?

Ils échangèrent un sourire complice.

— Non. Mais les créatures conscientes que nous sommes ont évolué à partir d'infimes cellules primitives.

— Et comment pouvez-vous déceler sur ces photos la présence d'infimes cellules ? A l'œil nu, ce n'est qu'un désert craquelé sans aucun relief.

— Bien sûr, mais... Bon, écoutez : pour produire l'énergie, qui est le principe essentiel de la vie, il faut un combustible, par exemple le carbone, et quelque chose pour le brûler, par exemple l'oxygène. La réaction des deux éléments donne un oxyde. Et il s'avère que le spectromètre révèle sur Europa la présence d'acide sulfurique, un oxyde de soufre.

Elle l'interrogea du regard.

— Le soufre étant le combustible. Je vous suis, dit-il.

— Eh bien, selon la théorie courante, les atomes de soufre dans l'atmosphère d'Europa auraient été projetés par Io, une autre lune de Jupiter, qui est sulfureuse et brûlante.

— Mais vous ne partagez pas cette théorie-là ?

— Non. En gros, j'essaye de démontrer que, sous sa couche de glace, Europa recèle des mers chaudes, et qu'elle produit elle-même des geysers d'acide sulfurique.

— Autrement dit, des volcans.

— Hum. Et la guirlande de taches brunes que vous voyez le long des fissures, ce sont de tout petits cratères qui viennent appuyer ma thèse selon laquelle les conditions adéquates à la vie sont réunies sur Europa… Voilà ce que ces photos ont de spécial. Quant à mon travail ici, il consiste à surveiller en permanence les activités volcaniques d'Europa et à noter mes observations. Maintenant, vous savez tout.

— Non, pas tout : à peine une infime partie.

— L'essentiel. Le reste n'est que physique et chimie… Et vous, Jyce ? A votre tour : parlez-moi de vous.

« Je vous en ai déjà beaucoup dit en quelques mots, Dana. Mais mes activités, je ne peux pas vous les dévoiler. Pas encore. »

Il termina son orangeade.

— La prochaine fois, si vous le voulez bien. Par exemple, demain soir, chez Millie ?

Elle hocha la tête, mais elle détourna les yeux.

— Avant d'accepter, dit-elle, je dois vous faire une confidence. Après l'avoir entendue, il se peut que vous préfériez prendre vos distances. Dans ce cas, ne soyez pas gêné : je le comprendrai très bien.

Jyce se sentait oppressé.

Elle tendit le bras pour prendre la photo de l'adolescente blonde, et garda le cadre entre ses mains.

— C'est ma jeune sœur, Mary. Elle ne s'était jamais droguée avant l'année dernière. Et puis, elle a absorbé une overdose, elle a mis le feu à sa chambre et elle est morte. Elle avait organisé une mise en scène pour faire croire que je l'avais tuée. Le procureur a été tellement convaincu de ma culpabilité qu'il n'a même pas fait pratiquer d'autopsie. Le jury a suivi son réquisitoire. J'ai été condamnée à trente ans de prison, et j'ai été enfermée à Fielding, le centre pénitentiaire de San Bernardino.

Elle reposa la photo, et désigna à Jyce celle du jeune couple.

— Sans mon amie Heidi et son mari, Randall, qui est détective à la brigade criminelle de San Diego, je serais toujours incarcérée. Randall a repris l'enquête ; il a découvert de nouveaux indices et des preuves qui m'innocentaient. De plus, il a ordonné une exhumation. L'autopsie a révélé que Mary était atteinte d'une tumeur au cerveau, qui s'était développée depuis sa naissance sans être jamais décelée. Mon procès est passé en révision : le juge a conclu au suicide de ma sœur. J'ai été acquittée et libérée en mai dernier.

Elle s'arrêta pour reprendre une profonde respiration.

— J'ai dû suivre une psychothérapie intensive avant de pouvoir reprendre une activité normale. J'ai appris à vivre avec l'idée que les autres penseraient toujours : « Il n'y a pas de fumée sans feu. » Beaucoup de gens entretiendront toujours un doute — parce que le doute est humain.

Elle lui adressa un bref sourire.

— J'ai passé sept mois et demi en prison, mais, pour la société, je suis marquée d'une tache indélébile. C'est une fatalité qui a changé ma vie à tout jamais.

Elle ramena sur lui ses yeux limpides. Jyce y lut son immense courage, et aussi ce que lui coûtait sa confession. Il crut deviner qu'à travers tout ça, elle craignait un peu de le perdre. Son honnêteté le bouleversait.

— Ne dites rien maintenant, Jyce. Réfléchissez. Je serai chez Millie à sept heures, demain. Venez si vous le désirez, mais, par pitié, ne vous forcez pas !

« Ce n'est pas moi qui ai besoin de réfléchir, mais elle », songea Jyce.

Dana Turner incarnait parfaitement la victime innocente qui reste emprisonnée dans sa peur du jugement. Elle était loin de se douter que sa confidence spontanée avait plongé Jyce dans un bonheur intense.

Il se leva.

— Demain, sept heures, dit-il.

Elle le raccompagna à la porte. Quand elle ouvrit, la brise du crépuscule fit voleter ses longs cheveux noirs autour du doux ovale de son visage. Elle était réellement d'une beauté exceptionnelle.

Jyce se retint de lui caresser la joue. Tout son être, corps et âme, se rebellait à l'idée de la quitter.

— Vers quelle heure rentrez-vous à la caravane ? lui demanda-t-il.

— La plupart du temps, je ne rentre pas.

Excellente nouvelle. Jyce se réjouissait de la savoir protégée par un solide dispositif de sécurité, à l'abri des prédateurs du genre de Glen Mason.

— Cette nuit, dans mon sac de couchage, à côté de mon feu de camp, je contemplerai les étoiles en pensant à vous.

— Oh non, vous ne dormez pas dehors ? s'exclama-t-elle d'un air effaré.

— C'est mon plus grand plaisir.

— Et où vous installez-vous ?

— Au hasard. Je me promène, et je m'arrête à l'endroit qui me plaît.

Elle fronça les sourcils.

— Je n'ai pas à dispenser mes conseils à un grand adulte comme vous, mais savez-vous qu'il y a des ours noirs et des couguars qui errent dans ces montagnes ? N'approchez jamais d'une grotte : à cette saison, ils gîtent avec leurs petits.

— Ciel ! Je n'y aurais jamais pensé ! s'écria-t-il. Si je ne suis pas là demain à sept heures, lancez les recherches.

— Je parle sérieusement, Jyce. Vous n'êtes pas drôle !

Elle s'inquiétait pour lui. Magnifique !

Il remonta dans sa voiture avec l'enivrante sensation que l'attirance était réciproque et aussi forte d'un côté que de l'autre.

— Merci pour le grignotage ! lança-t-il gaiement par la vitre baissée.

En repartant par le chemin de Cloud Rim, il s'arrangea pour la voir le plus longtemps possible dans son rétroviseur.

Depuis combien de temps rêvait-il d'une femme qui le regarderait partir ainsi et s'inquiéterait pour lui ? Ces dernières années, il avait fait semblant d'ignorer à quel point ces petits riens lui manquaient. Ce soir, son émotion était indescriptible.

Il en aurait presque oublié le contexte si, dans la dernière descente, il n'avait aperçu les phares d'une voiture qui roulait en direction du ranch Mason. Glen rentrait chez lui.

D'après le dernier rapport de Pat, Glen Mason était inconnu des fichiers de police du Texas. Hier soir, il traînait simplement au Gray Oak Bar d'Alpine avec des jeunes du coin qui n'étaient pas fichés, eux non plus. Il était remonté sur Cloud Rim à 11 h 30.

Pour le brigadier qui l'avait pris en filature, impossible de le suivre jusque chez son grand-père sans se faire remarquer.

L'occasion s'offrait ce soir. Et, désormais, Jyce savait que ce cow-boy d'opérette importunait Dana. S'il le voyait de nouveau pénétrer chez elle, il serait capable de l'étrangler.

Eteignant ses propres phares, il tourna sur la route et navigua au clair de lune, guidé par le halo du pick-up qui apparaissait et disparaissait entre les arbres, au gré des virages.

Son sang ne fit qu'un tour quand il le vit bifurquer du mauvais côté dans l'allée du ranch.

Aussitôt, Jyce abandonna sa voiture, et courut à travers bois. Une minute plus tard, il vit Glen entrer tranquillement dans la caravane comme s'il avait été chez lui.

Mais aucune lumière ne s'alluma.

Qu'est-ce que cette fripouille pouvait bien trafiquer ?

Jyce contourna la caravane sans faire de bruit. La lueur d'une torche vacilla à la lucarne de la salle de bains. Mais ce ne fut pas long. Après quelques instants, Glen ressortit et remonta dans sa camionnette pour rentrer chez son grand-père, ni vu ni connu, croyait-il.

Jyce retraversa le bois comme un dératé, attrapa ses outils, et revint au galop pour s'introduire à son tour chez Dana Turner — un endroit accessible à n'importe quel rôdeur, ce qui le rendait malade.

Qu'allait-il trouver dans la salle de bains ? De la drogue, peut-être ?

Jyce promena le faisceau de sa lampe dans l'espace exigu. Rien sur les murs. La glace au-dessus du lavabo était scellée à même la paroi. Rien dans le réservoir d'eau du sanitaire… Peut-être au plafond, dans l'aération ?

Il dévissa la grille de protection. Un objectif de la grosseur d'un petit pois brilla dans l'éclairage de sa lampe.

Ivre de rage, Jyce saisit un coin du rideau de douche afin d'arracher le matériel sans y mêler ses empreintes. C'était un mini-Caméscope à télécommande électronique, capable d'enregistrer dix heures de suite. Où ce petit salopard avait-il trouvé l'argent pour acheter un engin pareil ? *L'ordure !*

Après avoir revissé la grille, Jyce entreprit de passer la caravane au peigne fin.

Aucun autre dispositif d'espionnage n'y était dissimulé, mais cela n'apaisa pas sa fureur pour autant. Seule la découverte du pistolet neuf millimètres lui procura un certain soulagement.

Il transporta la caméra avec précaution, tout en se demandant depuis quand cet ignoble petit voyeur filmait la jeune femme. Jyce en avait des sueurs froides, comme si c'était sa propre intimité qui avait été violée.

Incapable de se contenir jusqu'au lendemain, il appela Pat Hardy. En l'écoutant, le shérif ne se méprit pas sur son état d'esprit.

— Je comprends que tu sois choqué, Jyce, mais ne fais pas de bêtises. Si ce paumé claque de grosses sommes d'argent, il se pourrait que, cette fois, tu sois vraiment sur le coup. On va le surveiller non-stop. Ne brûle pas ta couverture avant qu'il nous ait conduit à son complice.

— Demain, je vais tenter d'avoir cette petite conversation avec le grand-père Ra…

— Non ! J'enverrai quelqu'un, de moins… émotionnellement impliqué que toi. Une gentille enquêtrice en civil, qui fera un sondage sur les personnes âgées : comment elles se débrouillent et qui les aide au quotidien. Elle obtiendra tous les renseignements que le vieux Ralph peut donner sur son petit-fils. Pendant ce temps-là, toi, tu essayes de décompresser, O.K. ?

Jyce crispa les doigts sur le boîtier de son portable.

— Je t'appelle dès que je reçois les nouvelles d'Arizona, ajouta le shérif. Je ne serais pas étonné que Glen Mason ait un casier d'un kilomètre de long.

— Il faut que Dana Turner soit protégée, Pat.

— C'est bien ce que j'avais compris. Ne t'inquiète pas : je m'en occupe.

Il y eut un léger silence, puis le shérif ajouta :

— Tu n'aurais pas envie d'ouvrir ton cœur, par hasard ?

Jyce ne se fit pas prier pour parler de Dana.

Après son week-end de suractivité, la jeune femme aurait dû passer une longue nuit à dormir, mais la visite de Jyce Riley avait détraqué son horloge interne. Quand, vers 8 heures, elle réintégra la caravane dans la ferme intention de se coucher, elle n'avait absolument pas sommeil.

L'idée qu'il ne vînt pas chez Millie, ce soir, la mettait en transes. Elle avait beau se répéter qu'elle le connaissait à peine et que son emballement était irrationnel, absolument stupide et grotesque, elle avait l'impression d'être ensorcelée.

Par moments, elle souhaitait qu'il ne fût jamais entré dans sa vie et, l'instant suivant, elle trépignait d'impatience de le revoir, tout en redoutant un désastre.

Jamais la studieuse Dana Turner n'avait éprouvé de tels élans incontrôlables pour qui que ce fût. Etait-ce une conséquence de sa longue incarcération ?

En vérité, elle était tombée amoureuse de Jyce au premier regard.

— Dana ?

Oh non ! Elle n'était pas rentrée depuis cinq minutes, et Glen frappait à sa porte ! Cette fois, la coupe était pleine.

Dana ouvrit à la volée. Une épouvantable odeur d'eau de toilette l'assaillit aussitôt.

— Je vous ai attendue, hier. Où vous étiez ?

« Absolument pas tes oignons, mon petit bonhomme ! »

— Cela ne vous regarde pas.

Il rougit instantanément.

— Le livreur a laissé ça pour vous.

Il lui tendait un formulaire d'IPS. Comment était-il en sa possession ? Ce n'était certainement pas Jyce qui le lui avait donné ! Elle en avait par-dessus la tête des manigances dc cet exécrable fouineur !

— Puisque vous êtes là, Glen, mettons les choses au clair. Quand j'ai signé le bail, votre grand-père m'a dit que si un ennui survenait dans la caravane, je pouvais vous appeler pour effectuer d'éventuelles réparations.

— Oui, ça, c'est vrai : vous pouvez compter sur moi.

— Seulement, voilà : je ne vous ai jamais appelé, Glen !

Il baissa le nez.

— Alors, de quel droit venez-vous me déranger ? Je n'ai jamais eu d'ennui avec la caravane. Mon seul problème, c'est vous. Maintenant, écoutez-moi bien.

Elle s'adressait à un rideau de longues mèches filasses qui dissimulait le visage de son interlocuteur.

— Si une lampe grille, je la change moi-même. Si j'ai besoin d'un plombier, j'en appelle un. Et, si vous frappez à ma porte une fois de plus, je porte plainte pour harcèlement. Jusqu'à présent, je n'ai pas alerté votre grand-père. Mais, si vous continuez, ce n'est pas seulement devant lui que vous devrez vous expliquer : vous serez convoqué au tribunal. Est-ce que je me fais bien comprendre ?

Glen redressa la tête, balaya ses cheveux en arrière, et lança à la jeune femme un regard mauvais.

— C'est parce que vous sortez avec Lewis, hein ?

— Pardon ? Je ne vois pas de qui vous parlez.

— C'te blague ! Il est monté jeudi en stop avec le livreur.

Dana écarquilla les yeux.

— Et comment le savez-vous ?

Il confondait Tony avec quelqu'un d'autre, mais là n'était pas la question. Le plus stupéfiant, c'était qu'il l'espionnât.

— Hier, j'ai surpris le livreur en train de fureter par ici. C'est lui qui m'a dit que vous couchiez avec ce type.

Frémissant de colère et de dégoût, Dana ne put que réitérer son dernier avertissement :

— N'approchez plus jamais de ma caravane, Glen Mason. Tant que je paye mon loyer, c'est une propriété privée. Et si je vous reprends une seule fois à rôder autour de chez moi, je vous jure que vous le regretterez !

Elle claqua sa porte, la verrouilla, et, en deux temps trois mouvements, elle fut sous la douche. Elle avait l'impression que ses cheveux étaient imprégnés de cette odeur pestilentielle…

Evidemment, quand le vent du séchoir eut fini d'effacer le désagréable intermède, Dana retrouva son principal sujet d'inquiétude.

Après avoir avalé un verre de lait chocolaté, la jeune femme emporta son téléphone sur le lit. Ses parents formaient à ses yeux le couple idéal. Elle avait besoin de discuter « coups de foudre » avec sa mère.

En fait, elle avait besoin de s'entendre dire que Jyce Riley appartenait à cette race d'hommes qui n'épouse pas aveuglément les idées reçues et qui peut accorder spontanément sa confiance à une femme, autrefois condamnée injustement pour meurtre ! C'était beaucoup demander à un homme.

Et sans doute aussi trop demander à sa mère, qui, hélas, ne possédait pas de boule de cristal.

5.

— J'ai rangé la cuisine, papy. Il est six heures : j'y vais !

— Et où cours-tu comme ça ?

— J'emmène Dana à Alpine, manger un hamburger. Après, on ira boire un pot quelque part.

— Pourquoi tu ne l'invites pas plutôt ici ? Ça me ferait plaisir de la recevoir.

— J'sais pas, ça dépendra si elle bosse.

— Surveille ton langage, Glen. Et j'espère que tu surveilles aussi tes manières avec elle !

— Ouais, m'sieur.

— Mlle Turner est une vraie dame, comme ta grand-mère, ne l'oublie pas.

— Ça va ! T'arrête pas de me le répéter !

— Parce que c'est la vérité, mon petit, et je crains que tu ne mesures pas ta chance. Dana est raffinée, cultivée. Tu ne rencontreras pas tous les jours une jeune femme comme elle. Tu vois ce que je veux dire ?

— Sûr. Je te rapporte du tabac pour ta pipe ?

— Ce serait gentil ; merci, Glen.

— A plus, papy.

— Et sois prudent au volant !

Glen démarra lentement, de manière à pouvoir observer la caravane en remontant l'allée. Pas de bol : le 4x4 était toujours là. Glen était impatient de récupérer le film qu'il avait déclenché ce matin avec sa télécommande. Celui de jeudi avait tourné à vide. La garce, elle avait pas pris de douche, ce jour-là, et, après, elle était plus rentrée. Mais aujourd'hui, Glen était sûr de son coup. Après qu'elle l'eut fichu dehors, il avait traîné un moment derrière, et il avait entendu le jet de la douche.

Et ce film-là, il se le garderait pour lui. Il n'aurait jamais dû prêter l'autre à Lewis.

Bonne poire qu'il était ! Il avait montré la première cassette à son pote pour être réglo, vu que c'était lui qui lui avait fourni la caméra, lundi dernier. Ce chien de Lewis, sous prétexte qu'il était plus débrouillard pour acheter la camelote sans se faire remarquer, il voulait pas que Glen touche au fric. Autrement dit, Lewis lui faisait pas confiance, mais lui, il avait fait confiance à Lewis, et voilà comment il était remercié !

Mais, ce coup-là, Glen se laisserait pas faire !

Lorsqu'il arriva à Alpine, il avait eu toute la journée pour ruminer sa rancœur. Il tournicota dans le parking bondé du Gray Oak Bar.

Le dimanche soir, l'orchestre country attirait les foules. La moto qu'il cherchait n'y était pas, mais Lewis l'avait peut-être planquée quelque part.

Repérant un vieux tacot bien astiqué qui attendait une place, Glen fonça pour la lui piquer sous le nez, après quoi il sauta de son pick-up en lançant un bras d'honneur au conducteur malheureux — un papy-plouc en costume cravate avec sa mémé endimanchée.

Dix minutes plus tard, il ressortait du Gray Oak en finissant sa bière. Il redémarra, et jeta sa bouteille par la portière avec assez de force pour qu'elle volât en éclats à l'entrée du parking.

C'était le quatrième soir qu'il venait pour rien. Mais, cette fois, il allait pas poireauter. Il avait enfin compris pourquoi Lewis l'évitait !

Ecrasant l'accélérateur, il fila vers la cité suburbaine à l'est de la ville. Puisque Lewis lui avait interdit de se pointer chez lui ou à son boulot, c'étaient sûrement les meilleurs endroits où Glen pourrait le coincer. Fini d'obéir aux ordres ! Ah ! Lewis croyait imposer sa loi ! Il se prenait pour un caïd parce que toutes les filles lui tombaient dans les bras ! Mais là, il avait poussé le bouchon trop loin ! Dana, il avait pas le droit d'y toucher.

Dana, c'était Glen qui l'avait trouvée le premier ; c'était à lui qu'elle appartenait !… Et lui, comme un débile, il avait suivi les conseils de son grand-père : y aller mollo parce que c'était une *dame*. Tu parles ! Pendant qu'il attendait le bon moment pour la draguer, Lewis l'avait doublé !

Glen ne vit pas la moto devant l'immeuble. Alors, il retraversa la ville sans se soucier des feux rouges jusqu'à la station des routiers. Le garage de poids lourds où Lewis travaillait était ouvert 24 heures sur 24.

Mais toujours pas de moto.

Glen entra dans le magasin pour acheter deux packs de bières fraîches, et repartit illico en faisant gicler le gravillon sous ses pneus.

Après avoir roulé comme un fou de bar en bar et de boîte en boîte, il retourna à l'appartement en branchant sa radio à tue-tête. Lewis allait bien finir par rentrer. Il l'attendrait devant son immeuble.

Ce fut au crépuscule, une dizaine de bières plus tard, que l'idée lui vint : et si Lewis avait encore fait du stop ou emprunté une bagnole pour ne pas être repéré ? Il était peut-être chez Dana, en ce moment même ? Glen avait pu le croiser sans le voir !

Il remit la gomme pour remonter sur Cloud Rim.

A 6 h 30, Dana ne savait toujours pas si elle irait chez Millie ou non. Ce matin, sa mère s'était employée à lui regonfler le moral, mais, après quelques heures d'un sommeil tumultueux, le vent du doute avait balayé sa précaire confiance en elle comme il l'aurait fait d'un château de cartes.

Ce jeu du suspense la rendait folle.

C'était sa faute, aussi !

« Moi j'y serai. Venez si vous voulez. »

Pourquoi avait-elle proposé un arrangement aussi stupide ? S'il venait, ça pouvait très bien être par pure courtoisie. Jyce Riley était ce genre d'homme : il accomplirait sa bonne action, il l'inviterait à dîner, et, après, elle ne le reverrait plus.

Alors, que faisait-elle là, à s'agiter comme une souris dans un bocal, au lieu de monter travailler ?

Parce qu'elle voulait en avoir le cœur net. C'était, d'ailleurs, le meilleur service qu'elle pût leur rendre à tous les deux.

Ayant enfin pris sa décision, Dana attrapa son sac, son trousseau de clés, et...

Une voiture arrivait dans l'allée. Par pitié, pas Glen !

Elle jeta un coup d'œil à travers le rideau.

Jyce ! Il était donc venu la chercher chez elle ? A 6 h 45 ? Exactement comme sa mère l'avait prédit !

Dana prit plusieurs longues inspirations avant d'ouvrir.

Il était nonchalamment appuyé contre sa voiture, les bras croisés, si brun, si beau dans sa chemise blanche… Elle en perdait le souffle, tout son corps s'affolait.

— J'ai pensé que le trac pouvait vous saisir à la dernière minute. Alors, j'ai préféré vous intercepter avant que vous n'alliez vous cacher à l'observatoire.

— V-vous n'étiez pas obligé, Jyce.

— Obligé à quoi ? A accomplir ma B.A. de boy-scout en dînant avec une femme infréquentable ?

Dana rougit violemment.

— Vous… ne devez pas manquer de choix. Il y a tellement de femmes qui… ne sont jamais allées en prison.

— Des millions.

— Pourquoi moi ?

— Je peux vous renvoyer la question. Pourquoi moi ?

Craignant qu'il lût la réponse dans ses yeux, Dana lui tourna le dos pour fermer sa porte. Ses doigts tremblaient légèrement, et elle dut s'y reprendre à deux fois.

— Vous permettez ? murmura Jyce, juste derrière elle.

Il lui confisqua le trousseau, mais, au lieu de l'utiliser, il le conserva dans le creux de sa main, jusqu'à ce qu'elle levât les yeux sur lui.

— Vous êtes courageuse d'habiter seule ici, lui dit-il en scrutant les traits de son visage.

Dana s'obligea à soutenir son regard.

— Tony a dû vous avertir que je gardais une arme chargée à portée de main.

— Oui. Et j'ai été content de l'apprendre. Mais je détesterais que quelqu'un d'autre, euh… Est-ce que votre propriétaire possède un double de cette clé ?

« Les grands esprits se rencontrent », songea Dana. Plus d'une fois, l'idée l'avait fait frémir.

— Vous ne croyez pas que Glen… ?

Elle fut incapable de formuler l'angoissante hypothèse.

— Ce que vous m'avez dit à son sujet m'a perturbé. Je serais beaucoup plus tranquille si vous changiez votre serrure.

Etait-elle en train de rêver ? Jyce Riley se souciait-il réellement de sa sécurité ?

— Vous… vous avez raison, bredouilla-t-elle. Je… je m'en occuperai demain.

— Pourquoi pas tout de suite ?

Dana eut un petit rire hésitant.

— Il n'y a pas le feu : je ne vais pas appeler un serrurier d'urgence un di…

— Pas besoin. Le dépanneur est devant vous, et le quincaillier du village est quasiment un ami : je suis sûr qu'il sera ravi de me rendre service… Une seconde, je l'appelle !

Sans laisser à la jeune femme le temps de protester, Jyce sortit son portable et composa le numéro qu'il avait intentionnellement mémorisé avant de venir. Il comptait bien inciter Dana Turner à revoir le système de fermeture de la caravane, mais il n'espérait pas y parvenir aussi vite. Si seulement il pouvait la convaincre de déménager…

Stupéfaite, Dana l'entendit téléphoner. Elle ne connaissait pas personnellement M. Watkins, mais il devait être vraiment très serviable pour qu'on pût ainsi le déranger un dimanche soir.

— Affaire réglée, annonça Jyce. Nous lui apportons le modèle. S'il n'a pas exactement le même en magasin, il nous donnera ce qui s'en rapproche le plus ; je n'aurai qu'un raccord à faire…

— Je… ne sais comment vous remercier, balbutia Dana, un peu décontenancée par la rapidité avec laquelle s'étaient déroulés les événements.

— J'agis par pur égoïsme. Je dormirai beaucoup mieux quand je vous saurai en sécurité.

Le sourire qu'il lui adressa alors était aussi renversant que ses déclarations.

Pendant qu'il démontait la serrure avec une efficacité de professionnel, Dana eut enfin une excuse pour l'examiner tout à loisir. Ses cheveux épais bouclaient sur la nuque. L'arc de ses sourcils, du même noir riche et luisant, était ciselé à la perfection. Il devait avoir dans les trente-cinq ans. Mais, si les épreuves de la vie l'avaient marqué, leur empreinte ne faisait qu'ennoblir sa beauté sculpturale : le nez droit, le menton volontaire, la bouche ferme et généreuse, séductrice à souhait, la peau mate au grain satiné… Jyce Riley possédait tous les ingrédients qui rendent un homme irrésistible.

Trop tard pour combattre son attirance : Dana était déjà sous le charme… et prête à subir son lot de déceptions inévitables.

Le travail fut trop rapidement achevé à son gré. Jyce se tourna vers elle, mettant un terme à sa contemplation.

— Je doute que Glen revienne maintenant : je l'ai croisé sur la route d'Alpine. Mais, tant que la caravane restera sans surveillance, mieux vaut cacher votre arme dans votre voiture.

En une seule phrase, il la rassurait et prenait tout en charge, jusqu'au moindre détail. C'était un ravissement. Hormis son père, aucun homme ne l'avait entourée d'autant d'attentions. Elle risquait de s'habituer très vite à être traitée de cette façon.

Quand elle ressortit avec le neuf millimètres, Jyce le lui prit doucement des mains, et le rangea lui-même dans le coffre du 4x4. Puis il lui rendit ses clés, et la précéda pour lui ouvrir la portière de sa propre voiture.

— C'est une arme sérieuse que vous avez là, lui dit-il en démarrant.

— C'est celle de mon père. C'est lui qui a insisté pour que je l'emporte.

— Un homme sage.

Il lui glissa un coup d'œil furtif, puis demanda :

— Tony Roberts vous a agressée ?

Il paraissait sincèrement concerné.

— Je n'ai pas attendu de savoir exactement quelles étaient ses intentions, répondit la jeune femme d'une voix basse et légèrement troublée. Il m'a renversée sur le canapé, alors j'ai saisi le revolver qui était caché sous un coussin. Je ne sais pas lequel de nous deux a été le plus surpris quand j'ai braqué le canon sur lui.

— Je peux vous dire qu'il n'était pas encore remis de ses frayeurs quand je l'ai récupéré sur la route.

— Je l'espère bien !

Jyce ne sourit pas.

— J'ai un aveu à vous faire, Dana. J'ai imaginé le pire ; je vous ai cherchée partout. J'étais tellement inquiet que si je ne vous avais pas rencontrée, vendredi, j'aurais signalé votre disparition à la police.

Elle en resta muette d'ébahissement et... d'euphorie.

— Je n'ai jamais eu de colis au nom Shelby Norris, poursuivit-il d'un ton égal. Mais, sur ce chemin de montagne, je ne pouvais pas vous avouer à brûle-pourpoint que je courais après vous. Je tenais à préserver toutes mes chances avant d'être irrémédiablement classé dans le tiroir des arrogants présomptueux.

Mon Dieu ! Heureusement qu'il ne lui avait rien dit, vendredi soir ! Dans l'état de langueur amoureuse où elle se trouvait, elle aurait été capable de se jeter dans ses bras. Et lui, il l'aurait classée dans le tiroir des aventures d'un week-end !

Elle essaya de noyer son exaltation dans une boutade.

— Rassurez-vous, quand on a connu Tony Roberts, on ne peut plus décerner le titre d'arrogant présomptueux à personne d'autre.

Cette fois, Jyce partagea son rire.

— Pourquoi aviez-vous rompu avec lui, au départ ?

— C'est un étudiant de troisième cycle. Quand il était maître auxiliaire du laboratoire où je préparais mon agreg, il m'a poursuivie de ses assiduités. J'ai d'abord été flattée, mais j'ai vite compris que c'était mon père qu'il voulait courtiser à travers moi. Il comptait sur lui pour être pistonné. Comme ça ne marchait pas exactement comme il le voulait, il a commis l'irréparable : il a profité de mon séjour à Fielding pour pirater le contenu de mon ordinateur.

Ils étaient arrivés à l'autre bout du village. Jyce tourna dans la dernière rue pour s'arrêter à l'arrière de la quincaillerie.

— Et comment se fait-il que *lui*, il ne soit pas en prison ?

— Mon père s'est contenté de le faire renvoyer de CalTech.

— Votre père n'est pas méchant.

— Mes parents sont la bonté même, répondit-elle en sautant du véhicule avant que son chevalier servant ne se déplaçât pour lui ouvrir sa portière.

M. Watkins émergea aussitôt de l'arrière-boutique.

— Oh, mais je vous connais de vue ! Vous êtes Mlle Turner.

— Oui. Pardonnez-nous de vous déranger…

— Pas du tout ! Jyce peut me demander tout ce qu'il veut, et vous aussi. On estime beaucoup vos parents, ici, vous savez : ils ont assez contribué à l'activité économique du village avec leur construction, là-haut. N'hésitez jamais à m'appeler si vous avez besoin de quoi que ce soit.

— Merci beaucoup, monsieur Watkins.

Quelques minutes plus tard, ils repartaient avec une serrure neuve — et Jyce avait renoncé à parler de la petite annonce. Les dernières révélations de Dana le contraignaient à ralentir le rythme de son enquête. En dépit de son impatience de l'éloigner de Glen Mason, il ne pouvait pas la pousser à déménager dès leur premier rendez-vous : c'eût été par trop précipité.

Il était arrivé chez elle tout feu tout flamme, décidé à lui prouver que son injuste incarcération ne ternissait en rien son image lumineuse, mais la sordide histoire de Tony Roberts avait peut-être laissé en elle d'autres traces qu'il ignorait. Dana Turner avait surmonté sa tragédie avec une force admirable ; elle était capable de rétablir toute seule sa confiance en elle. C'était sa confiance en l'homme qui avait été sabotée par ce sagouin.

Et il faudrait du temps pour rétablir cette confiance-là.

Bien sûr, Jyce était impatient, mais, compte tenu du genre de relation qu'il souhaitait établir avec Dana, il pouvait dire aussi qu'il avait toute la vie devant lui. Là-dessus, il n'avait pas à s'interroger deux fois : il voulait passer le reste de son existence avec cette femme.

De retour à la caravane, il installa la serrure avec une lenteur calculée, pour faire durer le plaisir qu'il éprouvait à se sentir regardé. Elle se tenait toute proche, et il pouvait respirer son parfum de fleurs et de fruits, qui seyait à sa silhouette élancée, à la fois pulpeuse et délicate.

Il jetait, de temps en temps, un regard furtif sur le jean qui épousait ses longues jambes, et le tombé fluide du pull en coton qui caressait la rondeur de ses hanches. Elle était si appétissante que Jyce dut chercher un dérivatif pour lui cacher son trouble.

Il décida de la mettre en garde plus nettement contre Glen Mason : rien de tel pour canaliser son énergie.

— Vendredi, je vous ai déposé un formulaire—c'était un prétexte pour passer vous voir. Vous l'avez trouvé ?

Dana n'en croyait pas ses oreilles. Combien de prétextes avait-il cherchés pour passer la voir ?

— Glen me l'a apporté ce matin, de votre part, répondit-elle.

— Il l'avait subtilisé ! C'est bien ce que je craignais. Je ne vous l'ai pas dit, hier, pour ne pas vous alarmer, mais je l'ai surpris en train de rôder autour de chez vous, pendant votre absence.

Comme Glen lui avait dit la même chose au sujet de Jyce, Dana réprima un sourire.

— Je l'ai rabroué assez vertement : je crois qu'il a compris... A propos, vous lui avez parlé de Tony Roberts ?

La question l'intriguait. La réponse fut grisante.

— Absolument. Je n'ai pas supporté que ce vermisseau se fasse passer pour votre petit ami, alors je lui ai inventé un rival.

Dana pouffa de rire. Cet homme était sensationnel.

— Bien joué. Surtout qu'il a confondu Tony avec quelqu'un d'autre. S'il va chercher la bagarre, je lui souhaite de recevoir une bonne raclée.

Jyce faillit en laisser tomber son tournevis. Il s'efforça de conserver un ton badin.

— Intéressant ! Je prêterais volontiers main-forte à ce quelqu'un pour lui tordre le cou. Il ne vous a pas donné de nom, par hasard ? C'est peut-être un de mes clients.

— Attendez que je me souvienne… un certain Luis, ou Elvis, ou… Vous ne seriez pas en train de vous moquer de moi, par hasard ? ajouta-t-elle avec un froncement de sourcils.

Jyce, qui avait terminé sa tâche, était en train de ranger ses outils. Il avait de plus en plus de mal à cacher sa fébrilité et à faire semblant de s'amuser.

— Non, dit-il. Pour être franc, Glen Mason ne me donne pas envie de plaisanter. Essayez la clé, maintenant.

Dana fut troublée par son changement d'humeur. Etait-il à ce point anxieux à l'idée que Glen pût l'importuner ?

La clé fonctionnait parfaitement.

— Impeccable, dit-elle. Merci infiniment, Jyce. Vous ne pouvez pas savoir comme j'apprécie…

— Je l'ai fait pour moi, souvenez-vous.

Il plongea son regard dans le sien.

— Je meurs de faim, murmura-t-il. On va manger ?

— Vous… ne voulez pas vous laver les mains ?

Jyce préféra garder cette excuse pour pouvoir s'esquiver, au restaurant, afin de téléphoner à Pat.

— Plus tard, dit-il. Mon estomac crie famine.

En pénétrant dans l'établissement, il s'aperçut que ses scrupules étaient futiles : Dana était assez populaire dans Cloud Rim pour ne pas craindre de rester seule.

Agréablement surprise de les voir en couple, Millie ne tarda pas à accaparer la jeune femme, et Jyce put facilement s'éclipser avec son portable.

Toutefois, il n'était pas seul à posséder un scoop. Avant qu'il eût le temps de parler, Pat se lança dans un roman-fleuve : les pérégrinations échevelées de Glen à travers Alpine.

— A cette heure-ci, le zèbre est en train de visiter tous les bars de la ville. De toute évidence, il cherche quelqu'un.

— Oui, un certain Luis, ou Elvis. C'est le nouvel indice que je voulais te donner. Mais j'abrège : je dîne avec Dana, et…

— Tu aurais dû me le dire tout de suite ! Bon, amuse-toi bien, et rappelle-moi plus tard.

Quand il revint à la table, Dana et Millie papotaient toujours.

— … deviner que tu es la fille de tes par…, entendit-il.

Mais, à son arrivée, Millie s'interrompit net, et se sauva avec des airs de conspiratrice.

— Voilà notre affamé : je cours en cuisine.

Avant de s'esquiver, elle leur adressa un clin d'œil des plus éloquents. Dana baissa les yeux, visiblement gênée.

— On dirait qu'elle est enchantée de nous voir ensemble, dit Jyce malicieusement.

Il parvint presque à la faire rougir.

— Millie est allée à l'école avec ma mère, alors elle se permet quelques familiarités, mais ce ne sont que des taquineries.

— Et de quoi parliez-vous, si ce n'est pas indiscret ?

— Des bizarreries de l'hérédité.

Il comprit en se souvenant de la photo.

— Vous voulez dire que, physiquement, vous ne ressemblez guère à vos parents ?

96

— Oui, c'est ça. Ma sœur leur ressemblait beaucoup, alors que moi, je suis le portrait craché de ma grand-mère paternelle... Mais si nous parlions un peu de vous ? N'était-ce pas ce qui était prévu au programme, ce soir ?

Ses yeux limpides plongeaient dans les siens avec une petite lueur malicieuse.

Jyce était assez embarrassé. L'essentiel de sa vie, c'était son métier, mais il s'agissait d'un secret qu'il ne pouvait pas partager, surtout dans un lieu public. Et puis, de toute façon, il ne voulait pas angoisser Dana plus que de raison en lui révélant que Glen Mason était peut-être un dangereux tueur.

« Ne te cherche pas d'excuses, Riley. Tu veux mériter sa confiance, et tu vas la trahir dès le départ... Et si, après l'injustice qu'elle avait subie, Dana Turner s'était mise à détester les flics, tu serais dans de beaux draps ! »

Tout en priant pour qu'elle lui pardonnât, le jour venu, la partie mensongère de son histoire, Jyce commença :

— Je suis originaire d'Austin. J'ai deux frères : Buck, qui a un an et demi de moins que moi, et Samson, qui a quatre ans de plus. Ils sont tous les deux mariés, avec des enfants. J'ai cinq neveux et nièces. Nos parents sont formidables. Nous formons une famille soudée... Je n'aurais pas pu m'en sortir, sans eux, quand ma femme est morte d'un cancer, il y a sept ans.

Dana sentit les larmes lui picoter les yeux. Jyce s'exprimait avec pudeur, mais il dissimulait beaucoup d'émotions derrière son style télégraphique.

Songeant qu'ils auraient toute la soirée pour développer les sujets sensibles, elle orienta la conversation dans un domaine plus léger.

— Depuis combien de temps travaillez-vous chez IPS ?

Jyce chercha une réponse pas trop éloignée de la vérité.

— J'y suis entré après l'armée.

Il se garda, bien sûr, de dire qu'il appartenait toujours à l'armée.

— Pourquoi effectuez-vous des remplacements au lieu d'occuper un poste régulier ? C'est un choix personnel ?

— Oui... Le besoin de bouger... de voir du pays...

Elle enregistra ses allégations avec une moue tristounette qui le transporta de joie.

— Vous ne resterez pas dans la région, alors ?

— Encore quelque temps, assura-t-il tandis que la serveuse apportait leurs plats.

Neuf jours, exactement. D'ici là, Glen Mason serait coffré, et Jyce devrait réintégrer ses fonctions à Austin. Si les assassins de Gibb étaient arrêtés, tant mieux : sa mission prendrait fin. Sinon, il poursuivrait sa traque officieuse en collaboration avec Pat Hardy. Quoi qu'il advînt, dans neuf jours au maximum, il pourrait ôter son masque devant Dana, et tous les espoirs seraient permis.

Malgré le mensonge qui l'obligea parfois à jongler, le repas n'en fut pas moins idyllique. Lorsqu'un homme désire se livrer à une femme, il a beaucoup à raconter en dehors de sa profession. Il parla de son enfance, elle parla de la sienne ; ils parlèrent de leurs familles, de leurs joies, de leurs drames et des épreuves qu'ils avaient déjà surmontées, jusqu'à ce que le restaurant se vidât.

Il était presque 11 heures quand Jyce raccompagna la jeune femme à la caravane. Ils se tinrent un moment silencieux devant sa porte, enveloppés par la magie de la soirée et la sérénade des criquets.

— Je n'ai aucune envie de vous quitter, lui dit-il enfin, mais, malheureusement, je commence très tôt, demain matin.

Elle hocha la tête.

— Merci pour le dîner. Et pour la sécurité.

— C'était un plaisir. Je suis impatient de vous revoir, Dana. Croyez-vous que je pourrai convaincre l'astronome en chef du mont Luna de m'inviter à jeter un coup d'œil dans le télescope, demain soir ?

Elle eut un sourire espiègle.

— Je crois que ça peut s'arranger. Et si l'astronome en chef vous invitait à dîner ici, avant de monter à l'observatoire ? A quelle heure terminez-vous ?

Il calcula rapidement : s'il ne s'arrêtait pas pour déjeuner, le temps de rapporter la fourgonnette à Alpine…

— Je peux être là à 5 h 30.

— Euh… Parfait.

Visiblement, elle calculait de son côté qu'ils auraient beaucoup de temps à meubler avant le coucher du soleil.

Jyce se rappela qu'il s'était promis de ne pas la brusquer.

— J'ai noté qu'il y avait un concert de musique folklorique, à 7 heures, place de la Mairie. Ça vous amuserait d'y assister ?

Elle eut une expression émerveillée, comme s'il lui offrait le plus beau des cadeaux.

— Oh oui ! Excellente idée !

Dana Turner n'avait pas dû s'accorder beaucoup de distractions depuis sa sortie de prison.

— Vous restez dormir ici, cette nuit ?

— Oui, j'ai du sommeil en retard.

— Alors, avant de m'en aller, j'aimerais vous voir récupérer votre arme.

— Oh ! Je l'avais complètement oubliée.

— Pas moi. En fait, j'aimerais aussi jeter un coup d'œil à l'intérieur de la caravane, si ça ne vous ennuie pas.

— Ça ne m'ennuie pas du tout. Entrez.

Elle lui ouvrit la porte.

Jyce inspecta les lieux par acquit de conscience. A supposer que Glen fût passé, il doutait que ce porc eût trouvé le moyen de crocheter une serrure neuve en si peu de temps.

Le cheveu que Jyce avait coincé dans la grille d'aération de la salle de bains n'avait pas bougé. Tout était en ordre.

Quand il revint dans le salon, Dana glissait l'arme sous un coussin du canapé.

— Faites-moi plaisir : gardez-le près de votre lit, la nuit.

Elle obéit sans hésitation.

Il attendit qu'elle fût ressortie de la chambre. Il n'arrivait pas à s'en aller.

— Une chose encore. Ce serait peut-être utile d'échanger nos numéros de téléphone. Je ne prévois pas d'empêchement pour demain, mais on ne sait jamais.

— Bien sûr...

Après cela, il ne pouvait pas s'incruster davantage, au risque de tout gâcher entre eux.

— Verrouillez derrière moi, lui recommanda-t-il.

Elle le suivit jusqu'à la porte.

— Bonne nuit, Jyce.

Il grava son sourire au plus profond de lui, pendant qu'elle fermait sa porte.

Il entendit bien le bruit de la porte qu'elle verrouillait, mais cela ne suffit pas à l'apaiser. Il détestait la savoir ici, avec Glen Mason à proximité. Il avait remarqué que le pick-up ne se trouvait pas dans l'allée, mais Glen avait très bien pu le garer derrière le ranch...

Dès qu'il fut sur la route, il appela Pat.

— Le forcené a terminé sa cavalcade ?

— Sa voiture est en stationnement devant l'entrée d'une cité. Il a écluse ses bières, et il est remonté sur Cloud Rim vers 10 heures. Pas laissé d'autre signature que ses cannettes vides éparpillées sur le parking.

— Vous avez vérifié les boîtes aux lettres de l'immeuble ?

— Aucun Luis, pas plus d'Elvis. Comment as-tu eu ces noms ?

Jyce raconta sa conversation avec Dana.

— Une aubaine pour nous, cette histoire de jalousie ! lança Pat. Ce fumier est en train de disjoncter : il va nous conduire droit à son complice !

— A condition qu'on soit sur la bonne piste...

Jyce plissa les yeux à cause des phares éblouissants de la voiture qui arrivait en face. Il rentrait se coucher, mais il se demandait comment il allait pouvoir trouver le sommeil.

Le shérif perçut la note de pessimisme que contenait sa voix.

— Tu sais quoi, Jyce ? Dans ma carrière, il m'est arrivé d'avoir à résoudre des affaires fumeuses avec des suspects insaisissables. Et, chaque fois que j'ai été tenté de baisser les bras, je me suis répété ce que ma mère me disait quand je rechignais à faire mes prières : « Reste à genoux jusqu'à ce que l'envie te vienne !... » Je n'ai jamais reçu de meilleur conseil dans ma vie. Il fonctionne à tous les coups. Tu as beaucoup d'instinct, Jyce. Continue sur ta lancée, et il va se produire quelque chose.

C'était exactement ce que Jyce avait besoin d'entendre.

— Merci pour le moral des troupes, Pat.

— J'envoie une enquêtrice chez le grand-père, demain. On verra bien ce qu'il ressort de l'entretien.

Pat faisait bien de le lui rappeler. Jyce avait oublié un détail.

— Oui, à ce propos, tiens-moi au courant. Mardi dernier, il m'a prévenu qu'il attendait un colis. Je préfère savoir sur quel pied danser, le jour où je le livrerai.

Aucune chance de récupérer le film et de recharger la caméra ce matin. Glen s'était approché le plus possible de la caravane pour épier les bruits. Dana n'était même pas réveillée : elle allait pas décamper de sitôt.

Hier soir, elle avait reçu de la visite. Un tout-terrain sombre était venu vers 11 heures, mais il était pas resté longtemps. Peut-être que c'était Lewis qui l'avait emprunté pour monter la voir, et qu'elle l'avait envoyé dinguer, lui aussi. Bien fait !

Glen revint de sa promenade avec la cassette de rechange dans sa poche et sa hargne par-dessus.

— Ne te mets pas en retard pour ton travail ! lui lança son grand-père.

Comment ils faisaient, ces vieux, pour avoir toujours un œil sur la pendule ! C'était pareil avec M. Jorgenson !

— Ouais, papy, j'y vais. T'as des macaronis et du fromage au frigo, si je rentre pas ce midi.

Mais ce fut largement avant midi que Glen demanda à M. Jorgenson la permission de rentrer. Il détestait ce bonhomme, scotché derrière sa caisse enregistreuse, avec ses yeux qui fouinaient partout au-dessus de ses lunettes.

— M'sieur, j'ai rangé les cageots ; y reste plus que les palettes de conserves. Je peux y aller ? Papy était patraque, ce matin. Je ferai une demi-heure de plus c't'aprèm.

M. Jorgenson le scruta longuement avant de se décider à hocher la tête.

— Merci, m'sieur.

Glen sauta dans son pick-up, sans aucune intention d'aller au ranch. Il se gara à cinquante mètres, dans les bois. Enfin, le tout-terrain était parti !

Sa cassette en poche, il courut jusqu'à la caravane. La première chose qui lui sauta aux yeux, ce fut que Dana avait astiqué les cuivres. La serrure brillait comme si elle était neuve.

Quand il eut introduit sa clé, il fit une drôle de tête. Il essaya de tourner dans un sens, dans l'autre, en forçant, puis sans forcer... Lewis lui avait changé la serrure !

Alors ça, c'était le comble ! Traficoter *sa* propriété privée ! Là, il avait dépassé les bornes !

Vingt minutes plus tard, presque surpris de ne pas s'être fait choper pour excès de vitesse, Glen déboulait à la station-service des routiers.

Il contourna la rangée des camions en attente devant les pompes diesel. La moto était là, et Lewis aussi, en train de réviser un semi-remorque.

Glen inspecta d'abord le parking, à la recherche d'un tout-terrain noir... ou bleu nuit, ou vert foncé. Y en avait une demi-douzaine : c'était la bagnole préférée des péquenots bourrés de fric.

La rage au ventre, il revint se garer devant l'atelier grand ouvert, s'éjecta du pick-up et se campa à l'entrée jusqu'à ce que Lewis levât les yeux vers lui. Ce sale traître : en le voyant là, il changea de couleur. C'était bien la preuve qu'il avait quelque chose à se reprocher !

103

Glen lui indiqua les lavabos d'un geste sec. Cette fois, c'était lui qui commandait. Lewis se savait dans son tort : il pourrait plus faire d'esbroufe avec lui...

Seulement, au bout de cinq minutes, Lewis ne l'avait toujours pas rejoint. Le pétochard ! Il se croyait à l'abri dans son garage parce qu'il lui avait interdit de s'y montrer ! Eh bien, il allait voir !

Quand Glen fit irruption dans l'atelier, Lewis vérifiait la pression des pneus. Il lui jeta un coup d'œil foudroyant, et s'accroupit pour lui parler.

— T'as intérêt à avoir une bonne raison pour te pointer ici ! lui lança Lewis.

— Une sacré bonne raison, et tu le sais.

— Combien de fois faut que je te répète que t'auras pas un rond avant qu'on se taille ? Mon contrat se termine la semaine prochaine : tu peux patienter dix jours, non ?

Au début, Glen était impatient de filer au Mexique, mais, maintenant, il y avait Dana, alors, il était moins pressé...

— Fais pas le mariole, Lewis. J'te cause de Dana.

— Quoi, Dana ?

— Elle est à moi. T'as aucun droit sur elle.

— Me dis pas que tu rappliques ici pour récupérer ta foutue vidéo !

— Assez bluffé. T'étais chez elle, jeudi.

Lewis se releva et se dirigea de l'autre côté du camion en s'essuyant les doigts à son chiffon. Il s'arrêta derrière la remorque.

— Ecoute-moi bien, minus. Le mont Luna, c'est pas ma promenade de santé. J'y suis pas retourné depuis que j'ai fini de remplir le réservoir du zinc, et je risque pas d'y remettre les pieds avant le décollage. C'est clair ?

L'assurance de Glen fut un tantinet ébranlée.

— C'est le livreur d'IPS qui m'a dit qu'il t'avait monté en stop.

— Qu'est-ce que c'est que cette embrouille ? Qu'est-ce que t'as dans le ciboulot de parler de moi à Pierre, Paul, Jacques ? Je vais te défoncer le crâne, Glen.

Glen se recroquevilla.

— J'ai... pas parlé de toi. Je lui ai dit que Dana était ma copine, et... il m'a dit qu'il croyait qu'elle était avec le type qu'il avait pris en stop, et... il m'a fait ta description.

Les choses s'étaient pas passées exactement comme ça, mais une entorse à la vérité lui épargnait peut-être d'être étranglé.

— Espèce d'abruti ! Vu d'ici, ton livreur n'a jamais pris personne en stop, et il s'est payé ta tête, tellement t'es pitoyable avec cette gonzesse.

Lewis le fixa en plissant les yeux.

— Et prie pour que ce soit ça. Sinon, ça pourrait être quelqu'un qui renifle autour de toi. Je t'ai déjà prévenu de laisser cette meuf tranquille.

Il se détourna en ajoutant d'un ton menaçant :

— Tu trébuches, tu plonges, Glen. C'est ton enterrement, pas le mien. Moi, j'ai des ailes. Maintenant, dégage.

Glen regrimpa dans son pick-up, plus furieux que jamais. Il détestait devoir admettre que Lewis ait toujours raison, mais il fallait bien reconnaître qu'une fois encore, son raisonnement se tenait. Le livreur avait voulu se payer sa tête ! Le rigolo ! C'était lui qu'allait le payer, et cher !

A cette heure-ci, Glen s'attendait à trouver la fourgonnette d'IPS devant Chez Millie. Par chance, elle était garée dans l'impasse de la supérette. Et pas un chat dans les parages ! Il n'eut qu'à se garer à côté, et sortir comme si de rien n'était, en coinçant dans sa manche son cran d'arrêt dont la lame de dix centimètres était affûtée comme un poignard.

A la vitesse de l'éclair, la lame s'enfonça dans le pneu avant droit.

En une fraction de seconde, Glen se redressa et se mit au travail : il chargea un carton de cannettes de soda sur le chariot pour réapprovisionner le frigo qui se trouvait près de la caisse.

M. Jorgenson enregistra son retour avec un coup d'œil à la pendule. Le faux jeton de livreur lui adressa un salut.

— Comment va ?

— Comme sur des roulettes.

Dur, dur, de dissimuler la haine qui bouillonnait dans ses veines. Ce guignol s'était fichu de lui. Peut-être même que c'était lui qu'avait changé la serrure, parce qu'il avait vu que Glen avait une clé de la caravane. Et peut-être même qu'il courait après Dana.

« Tu pers rien pour attendre, play-boy ! »

Son pneu ne commencerait pas à se dégonfler avant qu'il ait un peu roulé. A tous les coups, il s'en apercevrait quand la fourgonnette prendrait un de ces virages mortels dans la descente sur Fort Davis.

— Bonne fin de journée ! lança le livreur en sortant.

— Vous aussi, murmura Glen, tout en imaginant sa dégringolade en enfer.

6.

Dana finissait de s'habiller quand le téléphone sonna. Elle s'affola aussitôt. Si c'était Jyce qui se décommandait ? Elle se rua sur son portable. Le numéro qui s'affichait lui était inconnu.

— Allô ?

— Dana ? C'est Jyce.

Elle aurait reconnu n'importe où le timbre profond de sa voix.

— Jyce... Euh, ça va ?

— Mieux, répondit-il. Je vous raconterai ma mésaventure ; je viens juste d'arriver chez moi. Le temps de me changer, je serai là vers 6 heures. Vous me pardonnerez le retard ?

Il venait ! Elle en avait les jambes coupées.

— Bien sûr ! dit-elle. Ne vous bousculez pas : j'ai préparé une fricassée qui n'exige aucune ponctualité.

— Si, je me bouscule. Pas pour la cuisine.

Il paraissait aussi impatient qu'elle.

Dana retourna dans la chambre pour enfiler ses sandales. Heureusement qu'elle avait apporté quelques vêtements décents ! Pour ce soir, elle avait choisi une tunique noire et un pantalon gris, qui formaient un ensemble assez élégant sans être trop habillé.

107

Après son shampooing, elle s'était fait un brushing pour étoffer le volume naturel de ses cheveux autour de ses épaules. En dernière touche, elle appliqua un léger carmin brillant sur ses lèvres — elle ne se maquillait jamais davantage.

En contemplant son image dans le miroir de la penderie, elle eut l'impression d'être projetée un an en arrière. Il y avait si longtemps qu'elle ne s'était pas pomponnée pour sortir avec un homme !

En même temps, le souvenir des mois qu'elle venait de passer en prison lui revint avec violence : elle avait vraiment cru ne jamais retrouver la liberté.

« Tu *es* libre, Dana. Laisse l'enfer derrière toi. Aie le courage d'embrasser ta vie. Ne laisse pas les démons du passé gâcher ta relation avec Jyce. S'il s'aperçoit que tu es incapable de surmonter cette épreuve, il se détachera de toi. »

La plus effroyable des perspectives.

« Et que tout commence par un dîner sans faille ! »

Forte de ses bonnes résolutions, elle retourna dans la cuisine, veiller sur ses préparatifs et goûter les assaisonnements. Elle sortait les galettes du four quand elle entendit un bruit de moteur : c'était lui !

Le temps d'ôter son tablier, de se laver les mains et de se précipiter pour ouvrir... Jyce se tenait là, devant elle, avec des fleurs et une bouteille de vin. Mais ce ne fut pas cela qui subjugua Dana.

Il portait un pantalon noir et un pull en coton gris aux manches négligemment retroussées sur les avant-bras. Il était absolument superbe.

De son côté, Jyce parcourait la silhouette de la jeune femme du même regard admiratif et songeur.

— Nous sommes assortis, dit-il enfin.

Incapable de prononcer un mot, Dana hocha la tête, tout en prenant le bouquet qu'il lui tendait.

— Elles sont magnifiques, merci. Et pour le vin aussi, c'est très gentil… Entrez.

Refermant derrière lui, il huma l'air avec gourmandise.

— Ça sent bon. Vous avez fait du pain ?

— Des galettes de pain. Seriez-vous affamé ? demanda-t-elle en disposant les fleurs dans un vase.

Le bouquet aux couleurs éclatantes fit immédiatement oublier la décoration banale et terne de la caravane. C'était comme un feu d'artifice.

— Je peux même dire que je tombe d'inanition. Je n'ai rien mangé depuis 6 heures du matin, et j'ai dû fournir plus d'efforts que je ne m'y attendais.

— Alors, passons tout de suite à table. Servez le vin, j'apporte les plats : nous parlerons quand vous serez rassasié.

— Une femme selon mon cœur.

Dana s'envola dans la cuisine en riant. Elle sentait son propre bonheur à fleur de peau.

Quand ils entamèrent le repas dans un silence intime et amical, elle fut saisie par une impression d'irréalité, un peu comme le soir de son arrestation, où elle ne parvenait ni à comprendre, ni à croire ce qui lui arrivait.

Il y avait une différence, néanmoins : si ce dîner avec Jyce était un rêve, elle souhaitait ne jamais se réveiller.

De son côté, Jyce était heureux de partager ce moment de détente avec elle avant d'aborder un sujet qui le rongeait d'angoisse.

Le brigadier embusqué qui jouait les touristes à Cloud Rim l'avait prévenu, dès qu'il s'était remis au volant. Si la supérette n'avait pas été sous surveillance, il aurait pu s'écraser dans un ravin, mais là n'était pas le problème.

Jyce en avait discuté plus tard avec Pat, et ils étaient tombés d'accord sur le fait que la jalousie avait dû décupler la violence de Glen, faisant de lui une grenade ambulante qui pouvait exploser de n'importe quelle façon.

C'est une protection rapprochée qu'il aurait fallu à Dana. Hélas, les circonstances de la traque ne le permettaient pas. On ne pouvait pas poster quelqu'un en permanence derrière elle sans se faire repérer par le malfrat.

Les malfrats. L'autre ne s'appelait pas Luis. C'était Lewis. Lewis Burdick, mécanicien au relais routier depuis janvier dernier. Nouveau dans la région.

Cette fois, la piste se précisait.

Mais si Jyce et Pat étaient persuadés de tenir enfin les deux cagoulés de l'attaque à main armée, cela signifiait que Glen Mason se classait dans la catégorie des tueurs dangereux.

Et, dans l'immédiat, Jyce ne pouvait rien faire pour mettre Dana à l'abri, sinon l'inciter à redoubler de prudence.

— C'est un régal, dit-il. Je crois que je n'ai jamais rien mangé d'aussi bon.

Le compliment fit rosir la jeune femme.

— C'est une recette de ma mère ; elle a toujours du succès.

Jyce l'emprisonna dans son regard.

— Une recette ne se réussit pas sans talent. Vous êtes un fameux cordon-bleu.

— Pas vraiment, mais merci quand même. Maintenant, je grille de curiosité. Racontez-moi cette mésaventure qui vous a retardé.

Il avala une gorgée de vin, s'essuya la bouche et reposa lentement sa serviette.

— Quelqu'un a crevé un pneu de ma fourgonnette pendant que je livrais à Cloud Rim.

— Quoi ?

— Rassurez-vous, je me suis vite aperçu que la direction flottait, mais j'ai dû m'arrêter pour changer la roue et, ensuite, il a fallu que je passe à notre garage d'IPS. Là, le mécanicien a constaté qu'il y avait une belle entaille au couteau dans le caoutchouc.

— Jyce ! Mais vous auriez pu… Dans une descente, vous auriez pu…

— N'y pensez pas ! Je vous le dis uniquement pour que soyez vigilante de votre côté. Vérifiez votre voiture quand vous allez au village… Et même devant chez vous, quand vous la reprenez après l'avoir laissée dehors.

— Des vandales, ici, en plein jour ? Je n'en reviens pas.

— Il y en a partout.

— Mais c'est criminel !

— Absolument. Alors, promettez-moi d'être vigilante, et nous n'en parlons plus.

— Oh, Jyce… Si vous…

Elle tremblait comme une feuille. Il se leva pour aller entourer ses épaules de son bras.

— Je suis entier, Dana. Et je tiens à ce que vous restiez entière, vous aussi, dit-il d'un ton léger. J'attends toujours ma promesse.

Il se sentait un peu dépassé par sa réaction : il avait voulu la mettre en garde, mais pas l'affoler à ce point.

— Je… je vous promets, balbutia-t-elle. Je vais faire très attention à mes pneus.

— Bien.

Il posa un baiser sur sa tempe.

— Maintenant, je peux tout vous avouer. J'ai flirté avec la secrétaire de mairie, et j'ai obtenu deux bonnes places pour le concert.

Dana éclata de rire. La secrétaire de mairie était un vieux dragon acariâtre à qui personne n'osait se frotter.

— Vous avez beaucoup de courage ! s'exclama-t-elle.

Il adopta une expression dépitée.

— J'aurais dû me douter que vous la connaissiez.

Ses yeux de braise étaient indéchiffrables. Cherchait-il à la sonder, à travers cette plaisanterie, pour savoir si elle était jalouse ?

Préférant ne pas le savoir, Dana entreprit de débarrasser la table. Il se leva spontanément pour l'aider.

Faire la vaisselle à deux dans un espace aussi exigu que la cuisine s'apparentait à un tango, un jeu de frôlements et d'évitements. L'atmosphère fut bientôt saturée de tension sensuelle, et Dana était sur le point de craquer quand le téléphone sonna.

Sauvée ! Une seconde de plus, elle allait commettre une bêtise, quelque chose comme embrasser Jyce à pleine bouche...

Elle s'élança pour aller décrocher.

— Heidi !

— Dana ! Je n'ai qu'une seconde avant que Randall ne rentre, mais il faut que tu sois la première à l'apprendre...

Son amie paraissait aussi surexcitée qu'elle, sinon plus.

— Dana, je suis enceinte ! J'ai fait trois tests pour être sûre. Tous les trois positifs ! Nous allons avoir un bébé !

Dana dut s'asseoir : elle défaillait presque de ravissement.

— Oh, Heidi ! C'est merveilleux ! J'aimerais voir la tête de Randall quand tu vas le lui dire !

— Il va sauter au plafond ! C'est la plus belle nouvelle du monde pour lui. Cette fois, il n'aura aucun doute sur sa paternité... Oh, j'entends la clé ! Je te rappelle demain.

— Demain matin, sans faute !

Dana raccrocha en levant son visage radieux vers Jyce qui était en train d'essuyer le comptoir.

Il la considéra avec une gravité étrange.

— Je crois comprendre que votre amie attend un bébé.

— Oui ! Oui, oui !

Elle riait et, en même temps, elle avait les larmes aux yeux.

— Vous n'imaginez pas ce que la nouvelle va représenter pour son mari... Randall a un fils, mais qui n'est pas de lui. Sa première femme l'a toujours trompé. Quand elle a divorcé pour épouser un autre homme, il a demandé la garde de son petit garçon de quatre ans. Et c'est au tribunal qu'elle lui a appris qu'il n'était pas le père biologique. Le test ADN l'a confirmé.

— Quel choc ! murmura Jyce.

— Oui. Evidemment, le juge lui a accordé un droit de visite, mais la trahison de son ex-femme l'a terriblement marqué... Et puis, en avril dernier, il a rencontré Heidi.

— Et elle s'entend bien avec son fils ?

— Kevin ? Il vit avec eux, maintenant. C'est ce qu'il a toujours voulu. En ce moment, Randall doit être l'homme le plus heureux de la planète !

— Je n'en doute pas, dit Jyce.

La sobriété de sa voix avait un accent presque douloureux qui aurait dû l'alerter, mais Dana était trop euphorique pour vraiment l'entendre.

— Si quelqu'un mérite ce bonheur-là, c'est bien lui ! Ils sont tellement amoureux, tous les deux ! Avoir un enfant avec l'être qu'on aime, n'est-ce pas le sens même de la vie ? Je suis si contente pour eux ! J'ai l'impression que mon cœur va exploser.

— Ils ont beaucoup de chance.

Cette fois, Dana fut interpellée par son intonation rauque.

Où avait-elle la tête ? Jyce lui avait peu parlé de sa femme, mais elle avait bien senti qu'ils s'étaient aimés. Et, s'il avait fait un mariage d'amour comme celui de Randall et Heidi, alors il n'était pas prêt d'en guérir.

Elle ne pouvait même pas imaginer qu'il en guérît totalement un jour.

Etait-ce ce grand chagrin qui l'avait incité à bouger, comme il disait, à voir du pays ? Etait-ce cette agitation intérieure qui l'avait amené dans les Davis Mountains, le temps d'un remplacement ? En lui disant qu'il ne resterait pas longtemps dans la région, avait-il voulu l'avertir qu'il n'était pas question d'échafauder des rêves autour de lui ?

Si c'était le cas, l'avertissement était arrivé trop tard. Le coup de foudre du début se transformait, à chaque rencontre, en un sentiment plus profond. Ce soir, Dana savait qu'elle était éperdument amoureuse de Jyce.

— Merci pour la vaisselle, dit-elle en se levant. Je crois que nous allons être en retard à ce concert.

Il la regarda longuement, d'un air un peu énigmatique, puis il la suivit dehors sans lui prendre le bras ni la toucher. Son changement d'attitude était flagrant.

Ils ne parlèrent pas durant le trajet.

Dana prit alors conscience qu'elle ne savait rien de l'homme qui l'accompagnait. Avait-il une femme dans chaque port, comme les marins ? Etait-il en train de lui signifier qu'il ne voulait pas d'attache, et surtout pas d'enfant avec elle ?

« Cesse de te monter le bourrichon, Dana Turner ! Il a un coup de spleen parce qu'il a pensé à sa femme, mais il aura chassé ses papillons noirs bien avant la fin de la soirée. »

Dana comptait sur les flonflons de l'orchestre municipal pour réchauffer l'atmosphère, mais, comme il s'agissait d'un spectacle populaire avec des enfants en costume folklorique, ce fut elle qui demeura tendue, craignant de le heurter à la moindre remarque concernant les adorables petits danseurs.

La veille, elle redoutait que son passé ne constituât une barrière entre eux. Ce soir, elle découvrait un obstacle d'une autre envergure. Si Jyce ne surmontait pas son veuvage, elle ne pourrait pas combattre un fantôme de cette taille. Elle ne voulait même pas essayer.

S'il proposait de la revoir à la fin de la soirée, elle n'était même pas sûre de dire oui.

A l'entracte, Dana salua des gens qu'elle connaissait, et répondit au salut de ceux qu'elle ne connaissait pas.

Enfin, au moment où les musiciens reprenaient leur place sur le podium, Jyce glissa un bras autour de ses épaules. Envahie d'un bien-être indicible, elle se rapprocha de lui, assoiffée de sa chaleur, de sa tendresse, du subtil parfum de sa peau, de la solidité enveloppante de son corps...

— Ne vous retournez pas, murmura-t-il dans ses cheveux. Glen Mason est debout au fond de la salle, les yeux braqués sur nous. Maintenant, il sait qui vous rend visite. Restons dans cette position pour qu'il soit clairement fixé sur la nature de notre relation.

Dana ressentit un pincement au cœur. Le geste affectueux de Jyce ne lui était pas destiné : il jouait une comédie à seule fin de la protéger de Glen. Le dégoût qu'elle éprouvait pour ce raseur l'empêcha de se détacher de l'étreinte de son compagnon, mais, à partir de là, elle ne vit plus rien de ce qui se passait sur scène.

Elle se leva dès la fin du spectacle, reprenant ses distances avec son garde du corps, et chercha instinctivement Glen du regard.

— Il est parti, dit-elle.

Jyce la prit par le bras, et l'entraîna dehors avec une mine lugubre.

— Rentrons.

Elle se dégagea doucement, et s'arrangea pour maintenir une distance entre eux, afin qu'il n'allât surtout pas croire qu'elle se faisait des illusions.

— Vous avez aimé la deuxième partie du spectacle ? demanda-t-il d'un ton sibyllin, lorsqu'ils furent en voiture.

— Beaucoup.

— J'ai du mal à vous croire. Vous étiez trop distraite par la présence de Glen.

— C'est vrai.

« Je n'ai rien vu, mais ce n'est pas à cause de Glen. »

Elle n'avait plus aucune envie de prolonger la soirée à l'observatoire, pas plus qu'elle ne se sentait le courage d'affronter une discussion sur le thème : « Je ne supporte pas d'être un dérivatif. »

Arrivée à la caravane, elle opta pour le bon vieux mensonge prétendument féminin :

— Je suis désolée, Jyce, j'ai une terrible migraine. J'ai perdu l'habitude des fêtes et de la foule…

Il se rembrunit aussitôt.

116

— C'est à cause de Glen, n'est-ce pas ? Je suis navré. Que puis-je faire pour vous ?

— Rien du tout : j'ai juste besoin de sommeil.

— Vous aurez du mal à dormir si Glen vous effraie tant.

— Honnêtement, je le trouve plus répugnant qu'effrayant. Mon malaise n'a rien à voir avec lui.

— Mon malaise à moi, si.

Il paraissait plus concerné par Glen Mason qu'elle ne l'était elle-même.

— Je vous emmène à l'observatoire dans votre voiture, et je redescendrai à pied récupérer la mienne, déclara-t-il.

— Jyce, c'est de la folie… Je… je peux conduire. Je vais monter là-haut toute seule, ne vous inquiétez pas.

— Avez-vous des affaires à prendre dans la caravane ? Je vous attends, je monte avec vous…

— Non, vraiment, merci, ce n'est pas la peine.

— J'insiste.

Comprenant qu'elle n'aurait pas le dernier mot, Dana rentra chercher son sac. Elle avait préparé à l'avance tout ce qu'il lui fallait pour le Festival des étoiles du lendemain soir, et même pour tenir jusqu'à jeudi matin.

Finalement, ils prirent chacun leur voiture. Sur le chemin qui gravissait la montagne, Dana était au bord des larmes ; sa poitrine lui faisait mal. A vingt-sept ans, elle s'apercevait qu'elle venait de tomber amoureuse pour la première fois de sa vie.

Elle devait absolument chasser Jyce Riley de son cœur. Tout de suite. Avant qu'il ne l'eût complètement détruite. C'était une question de survie.

Dominant ses états d'âme, elle chercha fiévreusement un prétexte pour ne plus le revoir. Elle répéta son texte tant et si bien qu'il jaillit comme une leçon apprise par cœur, quand Jyce lui dit, devant la porte de l'observatoire :

— Reposez-vous. Je vous appelle demain.

— C'est gentil, mais je ne serai pas là : je pars pour la Californie demain matin. Je bute sur un problème que seul mon père peut m'aider à résoudre, et il m'a demandé de venir parce que nous réfléchissons mieux à deux, en nous promenant dans la forêt autour du mont Palomar.

Il la dévisagea avec son expression impénétrable.

— Quand rentrez-vous ?

— Je ne sais pas. Dans deux, trois jours...

Elle s'empressa d'ouvrir la porte.

— Bonsoir, Jyce. Bonne nuit.

— Comment voulez-vous que je passe une bonne nuit, alors que vous mentez comme une arracheuse de dents pour vous débarrasser de moi ?

Elle le regarda, bouche bée. Elle n'avait pas prévu le retour du boomerang.

— Je peux me tromper, mais je serais très étonné que vous ayez décommandé la soirée d'astronomie des enfants. Et je ne vous ai pas entendue dire à votre amie Heidi que vous arriviez.

Par beaucoup de côtés, Jyce lui rappelait Randall, le brillant détective qui l'avait sortie de prison en réussissant à prouver que sa sœur s'était suicidée. Un cerveau qui enregistrait chaque mot que vous prononciez, un homme dont les instincts étaient tellement aiguisés qu'il aurait pu se faire engager comme détecteur de mensonge.

— Vous... voyez juste, balbutia-t-elle.

— Je ne suis pas vaniteux, Dana, mais quand je plais à une femme, je le sais. Vous n'êtes pas une personne versatile, qui s'enthousiasme, puis se lasse d'une minute à l'autre. Je croyais que nous avions dépassé la question

118

de votre séjour en prison, mais j'ai peut-être été trop optimiste ?

Grands dieux, elle n'aurait jamais dû lui mentir !

— Dana, est-il possible qu'avec toutes vos qualités, vous doutiez qu'un homme ait envie de construire avec vous une relation sérieuse ?

Elle secoua la tête en signe de dénégation, mais il poursuivit sur sa lancée :

— Avez-vous si peur d'être blessée pour nous interdire, d'emblée, toute chance de bonheur ?

— Oui ! lança-t-elle. Mais ce n'est pas à cause de la prison. C'est pour un tout autre motif.

— Dites-moi.

Elle chercha les mots justes, mais ne trouva qu'une image.

— Vous me faites penser à un E.G.A.

— Qu'est-ce que c'est ? demanda-t-il doucement.

— Un *Earth Grazing Asteroïd* : un astéroïde frôleur. Ce sont de minuscules planètes qui effleurent les corps célestes, mais qui ne peuvent pas se libérer de leur propre orbite pour créer le contact. Après avoir provoqué une certaine quantité de turbulences et de dégâts, elles filent dans l'espace, et on ne les revoit plus.

— C'est très intéressant, mais je ne vois pas le rapport avec moi.

Dana leva les yeux vers lui. Elle savait qu'elle devait faire face.

— Je crois que vous aimiez beaucoup votre femme, Jyce.

— C'est exact.

Sa totale honnêteté ne la surprit pas.

— D'après ce que vous m'avez dit, vous faites des remplacements parce que vous avez la bougeotte, et vous serez bientôt envoyé ailleurs.

— C'est vrai aussi.

Mais son calme à toute épreuve était souverainement agaçant.

— Ne vous méprenez pas, Jyce : je ne vous reproche rien. Si j'avais traversé la même épreuve que vous, je n'aurais sans doute pas pu la surmonter, moi non plus… Ce que je veux dire, c'est que je me connais, et que… ce serait nocif pour moi de continuer à vous voir.

Il avança, l'obligeant à s'adosser à la porte, et appuya les deux mains de chaque côté de son visage.

— Vous êtes perspicace. J'avoue que j'ai dû soigner mes blessures longtemps, et que j'ai erré dans le vide de l'univers pendant longtemps… exactement jusqu'à ce que j'effleure un certain corps céleste nommé Dana Turner.

L'impact de son regard plongé au fond du sien la tétanisait.

— Vous m'avez arraché de ma trajectoire, ma belle, et nous sommes déjà en cours de collision. Alors, je vous avertis loyalement : le contact aura lieu. Ce n'est qu'une question de temps.

Il recula, la laissant interloquée.

— Bonne nuit, Dana.

Le cœur serré de frustration, Jyce roula sur les pistes de randonnée d'un secteur du mont Luna qu'il n'avait pas encore exploré. Il repéra quelques granges et fermes abandonnées qui, comme toujours, ne répondaient pas aux critères nécessaires à un éventuel atterrissage… Il devait trouver un moyen de prouver à Dana qu'il était guéri de

120

son deuil. Sinon… Tout compte fait, c'était lui qui aurait dû fuir, par crainte de s'attacher et d'être rejeté… Mais c'était trop tard. Il était éperdument amoureux d'elle, et il ne voulait pas la perdre.

Il n'avait pas envie de camper, ce soir, mais, comme il comptait regarder les étoiles jusqu'à l'aube en compagnie de Dana, il avait annoncé chez IPS qu'il ne commencerait sa tournée qu'à 9 h 30. C'était l'occasion de passer une longue nuit de sommeil.

A minuit, Jyce rentra se coucher dans son lit.

Il fut extirpé de ses rêves brumeux par le téléphone en même temps que l'alarme du réveil.

— Riley, marmonna-t-il.

— Eh, ne me dis pas que je te prends au saut du lit : il est plus de 8 heures !

— Salut, Pat. Du nouveau ?

— Non, mais, hier, à cause du pneu crevé, on a oublié de parler de Ralph. Mieux vaut que tu saches, si tu dois lui livrer…

— Je veux savoir, de toute façon, coupa Jyce. Qu'est-ce que vous avez appris ?

— Pas grand-chose sur Glen, sinon qu'il a débarqué à l'improviste à Noël, en racontant qu'il venait d'Arizona.

Glen Mason n'était pas fiché en Arizona. Pat avait lancé une demande d'information à l'échelle nationale, mais, comme ils n'avaient pas trouvé d'empreintes utilisables sur la caméra, ils n'avaient pu envoyer qu'une photo. Compte tenu de la lenteur administrative, la réponse des autres Etats pouvait se faire attendre.

— Tu crois que Ralph cache quelque chose pour essayer de le couvrir ?

— Notre enquêtrice est formelle. C'est un homme ouvert, qui se confie facilement. Il se lamente sur le comportement de son fils et se fait du souci pour l'avenir de Glen… Quant à la suite, je crois qu'elle ne va pas te plaire… Tu es assis ?

— Couché, même.

— Tiens-toi bien. La seule chose qui le rassure, c'est que Glen soit amoureux de Dana Turner et qu'il sorte tous les soirs avec elle. Le pauvre vieux lui a déjà donné la bague de fiançailles de la grand-mère pour faire sa demande en mariage. Evidemment, Ralph porte Dana aux nues ; il est persuadé qu'elle va remettre sa racaille dans le droit chemin.

— Punaise !

— Punaise, tu peux le dire.

Ils méditèrent tous deux un instant.

— Le garde forestier m'a signalé que tu avais emmené Dana à l'observatoire, reprit Pat, ce qui laissait entendre une question sous-jacente.

La fonction de garde forestier était le camouflage du brigadier chargé de la surveillance autour du ranch.

— Oui, répondit Jyce. Et, à mon avis, elle va y rester plusieurs jours. Si c'est nécessaire, tu peux lâcher du lest sur la caravane et mettre un gars de plus derrière Lewis Burdick.

— Bien. Sois prudent, Jyce.

L'inquiétude quasi-paternelle de son ami le fit sourire.

— O.K. C'est bon de travailler avec toi, Pat.

Jyce fonça prendre sa douche avec une excitation qu'il n'avait pas ressentie depuis des années — et sa conviction de tenir les assassins de Gibb n'en était pas la cause primordiale.

Dana l'avait comparé à un astéroïde frôleur. Ces dernières années, la définition lui aurait parfaitement

122

convenu : il n'avait fait qu'effleurer la vie, prisonnier de ses souvenirs.

Seulement, ça ne collait plus du tout.

Avant de mourir, sa courageuse Cassie l'avait supplié de continuer à vivre, et Jyce avait dû lui promettre de se remarier un jour pour lui apporter la sérénité qu'elle réclamait dans ces dernières heures atroces. Mais, lorsqu'il s'était retrouvé devant son cercueil, le vide l'avait déjà envahi depuis longtemps. Il s'était révolté contre ce Dieu qui créait un univers plein de promesses pour tout vous arracher ensuite.

Jyce était alors devenu un E.G.A. Mais, aujourd'hui, il ne l'était plus. Grâce à Dana.

Son univers lui paraissait soudain rempli de mille possibilités.

C'était incroyable. Jyce était vivant. Il se *sentait* vivre.

Dana Turner avait accompli ce miracle.

Et dire que, s'il n'avait pas pris Tony Roberts en stop, il ne l'aurait peut-être jamais rencontrée.

— Dieu merci, Dana existe !

Il reçut un choc en s'entendant prononcer ces mots tout haut.

L'astéroïde frôleur avait été happé dans l'attraction d'un corps céleste nommé Dana Turner. L'impact était déjà si puissant qu'il ne pouvait plus imaginer la vie sans elle.

7.

Dana regardait avec attendrissement les gamins rassemblés autour du télescope. Ils étaient neuf, âgés d'une douzaine d'années, accompagnés de certains parents et de deux moniteurs : Bob et Cathy Mitchell.

La soirée « pédagogique » allait commencer quand quelqu'un frappa à la porte.

Bob pensa qu'il s'agissait d'un jeune retardataire qui avait raté le minibus et qui était venu en voiture avec ses parents. Dana le laissa aller ouvrir.

Elle n'en crut pas ses yeux.

Jyce !

Toute la journée, elle avait attendu son appel, et voilà qu'il apparaissait, en costume-cravate, si éblouissant que toutes les femmes présentes le regardaient, bouche bée d'admiration.

Il échangea une poignée de main avec Bob, puis se mêla aux parents. Enfin, il regarda Dana. Ou plutôt, il la dévora des yeux.

Elle dut faire un immense effort pour prendre la parole sans perdre ses moyens.

— Bienvenue à bord du vaisseau Luna Star, jeunes gens. Je suis le capitaine Turner, votre hôtesse pour ce voyage dans l'espace.

Elle avait revêtu un blazer bleu sur une jupe blanche pour tenir son rôle.

— Ce soir, nous allons visiter les planètes de notre système solaire. Avant que nous ne décollions, Cathy va vous distribuer une pochette que j'ai préparée pour vous. Vous y trouverez des photos inédites et des réponses à certaines de vos questions.

— Lesquelles ? demanda timidement une blondinette.

— Par exemple : de quoi sont composés les anneaux de Saturne ? Quel poids pesons-nous à la surface de Mars ?

Apparemment, ce n'étaient pas les questions que se posait un gamin à l'air déluré.

— M'dame, vous n'avez pas peur de travailler ici toute seule ?

Jyce sourit, et quelques adultes l'imitèrent.

— Non. Nulle part ailleurs, je ne pourrais me sentir plus en sécurité. Quand j'étais petite, je rêvais de vivre dans un observatoire, tout près du ciel.

— Qu'est-ce que j'aimerais habiter là, sous les étoiles ! s'exclama une fillette.

— Oh oui ! Moi aussi ! Moi aussi !

Dana jeta un coup d'œil du côté de Jyce. A la façon dont il regardait les enfants, elle devina qu'il rêvait d'être père.

— A défaut de vous loger, je peux vous garder ce soir jusqu'à ce que vous tombiez de sommeil. Si vos parents sont d'accord, bien entendu.

Ce fut une explosion de joie.

Dana adorait l'enthousiasme des enfants, leurs questions désarçonnantes autant que pertinentes.

Comme elle l'avait prévu, les pochettes distribuées furent promptement ouvertes. Elle y avait glissé des autocollants et des pin's afin d'occuper ceux qui attendraient leur tour.

Elle fit signe au premier garçon sur sa gauche. Il s'appelait Eric. Il grimpa sur le siège tracteur en un éclair.

— N'ayez pas peur : il va faire noir, et le bruit que vous entendrez, ce sera l'ouverture de la coupole.

Avant d'éteindre la lumière, elle capta un ultime sourire de Jyce. Sa présence rendait la soirée magique.

Il y eut un long silence, puis des murmures émerveillés s'élevèrent doucement tandis que la trappe glissait, dévoilant une bande du firmament étoilé.

— Puisque Saturne est la planète préférée des Terriens, nous mettons d'abord le cap sur Saturne, annonça Dana.

Elle opéra les réglages, laissa la place à Eric, et guetta sa réaction. Ce fut un cri du cœur.

— Whaou !... Whaou, cria-t-il. Qu'est-ce que c'est chouette !

Les enfants passèrent les uns après les autres, puis ce fut le tour des parents. On admira Jupiter, Uranus et Neptune pendant deux heures qui filèrent comme l'éclair.

Il était plus de 1 heure du matin quand Dana décida que le Festival des étoiles pouvait prendre fin. Les enfants n'étaient, évidemment, pas de cet avis, et les lamentations s'égrenèrent tout le long du chemin jusqu'au bus.

Les Mitchell remercièrent chaleureusement Dana.

— Vous nous avez offert une soirée inoubliable. Nous n'avions jamais eu l'occasion d'utiliser un télescope aussi puissant. C'était époustouflant. Merci.

— J'y ai pris autant de plaisir que vous. Faites-moi signe quand vous voudrez revenir avec un autre groupe : on arrangera ça.

— Ne nous tentez pas trop, Dana : vous risqueriez d'avoir très souvent de nos nouvelles !

Elle s'attarda sur le seuil, pour répondre aux signes des enfants qui agitaient les mains derrière les vitres, jusqu'à ce que le minibus disparût au tournant.

Voilà. Il ne restait plus que la nuit, Jyce, et son cœur qui battait la chamade.

— Ai-je droit à un tour de télescope, moi aussi ? demanda-t-il d'une voix lente et basse qui la fit frissonner de la tête aux pieds.

Quand elle se retourna, il était déjà perché sur le siège. Elle le rejoignit, et éteignit les lumières.

Malgré sa virilité, elle sentait en lui la même impatience trépidante que chez les enfants. Il y avait une féerie dans l'approche du firmament qui produisait cet effet sur tous les humains, quel que fût leur âge.

— Par quoi voulez-vous commencer ?

— Faites-moi la surprise.

Elle s'efforçait de contenir son trouble, mais quand elle ajusta le télescope et que leurs épaules se touchèrent, le tremblement de ses mains était bien visible.

— Voilà. Regardez.

— J'ai une suggestion à vous faire pour rendre les choses plus faciles.

Sans préavis, il la saisit par les hanches et la hissa sur ses genoux.

— C'est mieux comme ça, vous ne trouvez pas ? murmura-t-il dans ses cheveux.

Mais il cessa de badiner lorsqu'il regarda dans le télescope. Dana sentit sa cage thoracique se dilater sans qu'aucun son ne sortît de sa bouche.

Les anneaux de Saturne offraient un spectacle hallucinant.

— « Whaou ! » n'exprime pas le millième de ce que l'on ressent, dit-il enfin.

Sa voix trahissait un émerveillement respectueux qui ne la surprit absolument pas.

— Non, répondit-elle. Le télescope nous donne la véritable dimension de nous-mêmes : on se sent humble, je crois. Vous voulez voir Mars ?

— Oh oui ! Et Vénus, et Pluton… Je comprends que ça puisse devenir une sorte de drogue.

— Oui. Et le manque est terrible. Quand j'étais en pris…

Elle s'interrompit net. Pendant combien de temps encore prendrait-elle la prison pour référence ?

Les bras de Jyce se resserrèrent autour de sa taille.

— Ce qui compte, c'est que vous soyez ici, maintenant, Dana. Le reste n'est qu'histoire ancienne.

— Vous avez raison, dit-elle.

Après leur conversation d'hier soir, elle comprenait qu'il lui livrait là un message. Le décès de sa femme l'avait emprisonné, lui aussi, pendant de nombreuses années. Et si quelqu'un pouvait la comprendre, c'était bien lui.

Il glissa une main dans ses cheveux, et lui massa doucement la nuque. C'était sans doute pour la réconforter, mais cela eut pour effet d'exacerber son désir.

Dana régla le télescope pour lutter contre ce trouble grandissant.

— Chaque planète a une forme et une couleur spécifiques. Rien n'est plus varié, plus resplendissant que notre système solaire.

— Excepté vos yeux.

La remarque lui fit tourner la tête — au propre et au figuré.

— Vos yeux ne reflètent pas la lumière ; ils irradient leur luminosité intérieure. Ils sont comme deux petites planètes jumelles, d'un gris-vert translucide, que je pourrais contempler éternellement.

Son baiser fut une caresse de velours sur ses paupières.

— Jyce...

— Si je vais trop vite pour vous, alors essayez de me rattraper, parce que je ne réponds plus de mes actes.

Son visage, qu'elle devinait dans le noir, était aussi envoûtant que son aveu, et les deux sensations conjuguées eurent raison de ses dernières résistances.

— Embrassez-moi, murmura-t-elle.

Jyce ne se fit pas prier. Il s'empara de sa bouche avec une voracité qui ouvrit les vannes de leur passion partagée.

Dana fut emportée par un feu qui consumait tout sur son passage. Animée par des sensations inconnues, elle s'agrippa à lui, pressant ses seins contre son torse.

— Dana...

Son nom soupiré comme un râle répondait à ses propres gémissements de volupté. La fièvre s'était propagée. Dana délirait de désir.

Partout où les lèvres de Jyce vagabondaient — sur son visage, dans son cou —, des petits feux s'allumaient. Dana n'était plus qu'un brasier. Elle recherchait sa bouche encore et encore, pour se désaltérer, et elle n'en était jamais rassasiée.

Il lui nicha la tête au creux de son cou.

— Je savais que, si je vous touchais, nous produirions des étoiles, pas des étincelles, chuchota-t-il à son oreille.

— Je... je ne savais pas que... qu'une pulsion pouvait être aussi fulgurante.

Elle s'aperçut qu'elle avait glissé la main sous sa chemise et qu'elle lui caressait le torse. Elle s'arrêta, gênée.

— Je ne savais pas que mon corps pouvait agir à sa guise ! s'écria-t-elle en essayant de redescendre sur terre. Regardez ce que je suis en train de faire !

Pour mieux la retenir, Jyce la renversa dans l'étau de ses bras.

— Je ne fais que ça depuis huit jours : vous regarder et vous désirer.

Son beau visage sombre s'encadrait au-dessus du sien dans le rectangle de ciel constellé.

— Moi aussi, dit-elle d'une voix chancelante.

— Alors, vous cachez bien votre jeu. Vous m'avez fait trembler d'effroi pendant plus de deux heures en me laissant croire que vous garderiez les enfants jusqu'au lever du jour.

Elle le regarda en souriant.

— C'était exprès, avoua-t-elle.

Jyce fronça les sourcils.

— Et pourquoi donc ?

— Parce que vous ne m'avez pas appelée, aujourd'hui. Je ne savais plus où j'en étais. Quand je vous ai vu franchir la porte, je… j'ai décidé de prolonger la soirée avec les enfants le plus longtemps possible.

— Pourquoi ? répéta-t-il.

— La vérité ?

— Hum.

— Je ne voulais pas que vous vous rendiez compte à quel point j'avais envie d'être seule avec vous.

Il approcha sa bouche de la sienne.

— Ne me joue plus jamais un tour pareil, Dana Turner. Mes nerfs n'y résisteraient pas.

— Jyce…

Elle chuchota son nom en lui tendant ses lèvres, comme pour y puiser son oxygène. Elle se cramponna à ses larges épaules, le corps brûlant du besoin de se serrer contre lui, gênée par le siège trop étroit.

Comprenant son désir, Jyce se leva avec elle. Aussitôt, leurs corps s'épousèrent comme deux aimants, et la notion du temps se perdit comme s'ils étaient embarqués dans un astronef voguant pour l'éternité.

Jyce était celui qu'elle avait toujours attendu. Dans ses bras, elle se sentait en sécurité, elle se sentait désirable, elle sentait chaque parcelle de son corps réagir au sien. Elle se sentait femme dans l'entière signification du mot.

Si elle n'avait pas rencontré Jyce, elle n'aurait jamais trouvé cette plénitude. Le souvenir de la prison lui aurait collé à la peau, et elle serait passée à côté de la vie...

Cette idée la fit tressaillir.

Jyce arracha aussitôt ses lèvres des siennes.

— Dana ? Que se passe-t-il ?

— Rien.

Il fouilla avidement ses yeux dans la semi-obscurité.

— Ne me mens pas. Si tu as peur que j'aille trop loin, je t'assure que...

— Ce n'est pas ça, Jyce, au contraire... Je suis submergée par toutes ces sensations, tous ces sentiments nouveaux. C'est comme si... je renaissais.

— Alors, nous sommes parfaitement à l'unisson.

Il la broya contre lui, et enfouit son visage dans son cou.

— Je te désire si fort qu'il vaut mieux que je parte pendant que j'en suis encore capable.

— Je n'ai pas envie que tu partes, chuchota-t-elle.

— Dana, ne me dis pas ça. Pas maintenant.

Honteuse de s'être trop révélée, elle se dégagea sur le mode : « Où avais-je la tête ? »

— Bien sûr, que tu dois partir ! Quelle heure est-il ? s'exclama-t-elle en rallumant. Presque 3 heures ! Et tu reprends le travail dans...

Deux mains la happèrent avant qu'elle eût atteint la porte. Jyce la ceintura, collant le torse contre son dos.

— Je voudrais m'enfermer ici avec toi, et te faire l'amour pendant des semaines, sans jamais penser à autre chose.

Dana renversa la tête sur son épaule, les paupières crispées. Oh, comme elle le voulait, elle aussi !

— Mais ce n'est pas le bon moment, souffla-t-il comme pour s'en convaincre lui-même. Pas encore.

La tension de ses muscles trahissait assez clairement la lutte qu'il menait pour se détacher d'elle.

Dana fut certaine qu'en cet instant, si elle le suppliait de rester, il resterait, et c'était absolument grisant de découvrir qu'elle possédait cette sorte de pouvoir sur lui.

Pourtant, la petite voix grondeuse de la prudence se réveilla en elle : « Attention : dans quelques jours, Jyce ne sera plus là ! »

Il frotta sa joue contre la sienne.

— Ne retourne pas à la caravane, lui dit-il. J'aimerais penser à toi en t'imaginant ici, dans le décor où je te laisse, comme si je ne te quittais pas.

Dana se retourna dans le cercle de ses bras.

— Je ne descendrai probablement que jeudi, pour aller accueillir Heidi et Randall.

C'était une façon éhontée de l'inviter à revenir quand il voulait. Il sembla y réfléchir, mais la question qu'il posa alors lui parut incongrue :

— Est-ce qu'il t'arrive de prendre des bains de soleil, ici ? Je veux dire : tu as un maillot dans tes affaires ?

132

— Euh… Oui.

— Parfait. Je t'appelle demain.

— C'est déjà demain !

Un feu ardent scintillait dans ses yeux noirs.

— Je t'appelle aujourd'hui.

Il prit son visage entre ses mains, et dévora sa bouche comme s'il mordait dans un fruit. Puis, d'un mouvement fluide, il s'en alla en fermant la porte derrière lui.

Dana dut rassembler toutes ses forces pour ne pas lui courir après. Elle garda les poings serrés l'un contre l'autre jusqu'à ce que le vrombissement de sa voiture eût disparu dans la montagne. Puis elle relâcha d'un coup sa respiration, et décida de s'activer.

Après avoir fermé la coupole, elle enfila un jean et un T-shirt, et brancha la radio en sourdine sur une station musicale.

Puisqu'elle était trop fébrile pour se concentrer, rien de tel qu'une séance de ménage pour évacuer le trop-plein d'énergie.

Un observatoire astronomique exigeait une propreté plus méticuleuse qu'un bureau ordinaire. C'était la raison pour laquelle on ne pouvait pas y vivre…

Le fil de ses pensées fut coupé net par la sonnerie du téléphone. Dana se précipita. Au milieu de la nuit, ce ne pouvait être qu'une urgence, ou bien…

— Allô ?

— Tu me manques déjà.

Elle s'y attendait un peu, mais les battements de son cœur s'accélérèrent quand même.

— A moi aussi.

Seigneur ! Elle était pantelante comme une collégienne.

133

— J'ai un plan. En expédiant mes livraisons sans papoter avec les clients, je peux finir à 15 heures. Si tu venais me rejoindre à Alpine, on pourrait passer la fin de l'après-midi et la soirée au Terlingua Ranch ?

— Oh oui ! Je n'y suis jamais allée. J'en mourais d'envie !

Le Terlingua Ranch était encore un de ces endroits paradisiaques avec piscine, parc, restaurant, boîte de nuit, où Dana n'aurait jamais eu l'idée de se rendre seule.

— Alors, je t'attends à 3 h 30 en bas de chez moi. Au retour, je te suivrai en voiture.

— Tu passes assez de temps au volant, Jyce. Je peux rentrer seule : je suis une grande fille.

— J'ai remarqué. Et je ne suis pas le seul : c'est pourquoi je tiens à te raccompagner.

Ses instincts protecteurs la désarmaient. Au lieu de protester en bonne féministe qui se respecte, Dana n'en était que plus amoureuse de lui. Elle ne se reconnaissait pas.

— Tu… me donnes ton adresse ?

— Résidence Big Bend. Tu vois où c'est ?

Elle poussa un long soupir de frustration. Tout ce temps perdu ! Ils auraient pu se rencontrer tellement plus tôt !

— Oh oui ! Le siège de ma banque se trouve à côté.

— Et c'est aujourd'hui que tu me le dis !

Apparemment, il avait les mêmes pensées qu'elle.

— Je t'attendrai devant le hall principal. Je ne te propose pas de monter à l'appartement : je serais trop tenté de t'y séquestrer.

— A tout à l'heure, Jyce. Prends soin de toi.

— J'allais te dire la même chose. Dors bien, Dana.

*
* *

134

— C'est toi, Glen ?

Quelle question ! Bien sûr que c'était lui !

— Oui, papy. Qu'est-ce que tu veux pour dîner ?

— Une soupe et un sandwich, ça suffira.

« Ça suffira », singea Glen en se dirigeant directement vers la cuisine.

Il était d'une humeur massacrante. Il n'avait pas osé parler de la serrure neuve à Lewis, et pourtant c'était un champion en matière de crochetage. Cette nuit, Glen avait essayé de faire le travail lui-même, mais il n'avait réussi qu'à déglinguer la serrure. Si Dana ne rentrait encore pas ce soir, il allait réessayer avec les nouveaux outils qu'il avait achetés.

Ce fut en apportant le plateau dans la grande pièce qu'il vit le bouquet enveloppé de cellophane sur la table basse.

— C'est quoi, ces fleurs ?

— Un fleuriste d'Alpine est venu les livrer pour Dana. Il les a apportées ici parce qu'elle n'était pas là. J'ai cru que c'était toi qui les envoyais.

— Tu m'as dit d'économiser mon argent.

— Alors, c'est peut-être quelqu'un de sa famille.

« Plutôt le livreur d'IPS, à la suite de la nuit qu'ils ont passée ensemble ! »

— P'être.

— Si tu continues à bien travailler chez M. Jorgenson, il pourra t'apprendre à gérer un magasin comme le sien. Tu gagnerais confortablement ta vie, tu sais ?

« Ouais, quand il gèlera en enfer. »

— Dépêche-toi de manger, papy. Je l'emmène au bowling, ce soir.

— Encore un aller-retour à Alpine ? Il me semble que tu dépenses beaucoup d'argent en essence.

— Ouais, mais y a rien pour s'amuser, au village. Dana a l'habitude des grandes villes : San Diego, tout ça. C'est toi qui m'as dit qu'y fallait la « courtiser ». C'est pas quand on aura des mioches qu'on sortira, hein ?

Ralph Mason sourit aux anges.

— Dana sera la plus jolie mariée que Cloud Rim verra depuis ta grand-mère… Mais n'attends pas trop pour faire ta demande, mon petit. Quelqu'un pourrait bien te la voler.

Le sang de Glen ne fit qu'un tour.

— Pourquoi tu dis ça ?

— Un livreur d'IPS m'a apporté un paquet, tout à l'heure. Je l'avais déjà trouvé sympathique, la semaine dernière, et je l'ai regardé de plus près. Il est bel homme.

Glen grinça des dents.

— Et alors ?

— J'ai découvert qu'il était veuf et qu'il appréciait beaucoup Dana, lui aussi. Tu sais, quand un homme a connu un mariage heureux, il est prêt à recommencer… surtout s'il livre des colis à une jeune femme aussi remarquable. Je lui ai dit qu'elle était prise et que j'étais impatient de faire sauter vos bambins sur mes genoux… mais prends garde quand même de ne pas te laisser couper l'herbe sous le pied, mon garçon.

« T'inquiète : d'ici peu, on sera loin. »

Ce bouquet de fleurs tombait juste à point : c'était l'excuse rêvée pour aller à la caravane. S'il entendait une voiture arriver, il déposerait le bouquet à la porte et s'en irait, mine de rien. Personne n'était censé savoir que c'était lui qui avait déglingué la serrure.

Il se dépêcha de laver le bol et l'assiette de son grand-père, puis sauta dans le pick-up pour aller chez Dana. Et, si l'IPS débarquait, il trouverait à qui parler !

Glen avait la haine, depuis qu'il les avait vus ensemble, au concert. C'était à le dégoûter de la musique folk qu'il adorait, pourtant.

Comme il n'y avait personne dans les parages, Glen s'attela à la tâche. Si seulement il avait été aussi adroit que Lewis !… Eh, pas si mal. A force d'insister, la serrure finit par céder. Mais plus question de changer le film. Maintenant, il ne songeait plus qu'à récupérer la caméra. Sinon, Lewis allait lui arracher la tête.

Il s'infiltra dans la salle de bains. Le cache de l'aération se dévissa facilement, mais…

Glen crut mourir sur place.

Quelqu'un avait trouvé la caméra ! Ce fils de chien qui couchait avec elle ! Il avait pris une douche, il avait levé les yeux, et… c'était pour ça qu'il avait changé sa serrure !

Une serrure que Glen remonta à la hâte avant de démarrer sur les chapeaux de roues.

Il ne s'arrêta que pour jeter les fleurs dans une poubelle, à la sortie de Fort Davis.

Le temps d'atteindre Alpine, le Gray Oak était encore pratiquement désert. Il commanda une bière, alla téléphoner, et s'installa à sa table habituelle, au fond de la salle de billard.

Un quart d'heure plus tard, Lewis entrait, relax, harnaché de cuir, comme tous les motards. Il posa sur Glen un regard neutre. Puis, après un passage au bar, il le rejoignit dans la salle avec sa bière. Ils prirent chacun une queue au râtelier pour faire une partie.

— J'ai déjà vu cette expression sur ta sale tronche, déclara soudain Lewis. T'as intérêt à ce que ce soit pas encore une histoire avec cette gonzesse.

Glen baissa les yeux.

— Alors, t'accouches ?

— La… caméra y est plus.

Lewis se figea.

— Tu rigoles ? Qui entre dans cette maudite caravane, à part toi ?

— Le type qu'elle s'envoie.

— Celui que tu prenais pour moi ?

— Non, l'autre.

— Le livreur ?

Les épaules de Glen s'affaissèrent. Lewis poussa un grognement impressionnant.

— Là, mon pote, tu peux être sûr qu'ils ont rameuté les flics ! Et, comme t'es le petit-fils du proprio, t'es le suspect numéro un. Pas d'empreintes sur le matos, au moins ?

— Non, ni dans la caravane, jamais.

— Quoi d'autre que tu m'as pas dit ?

Glen n'avait plus assez de salive pour déglutir.

— La serrure a été changée.

— Quand ?

— Avant-hier.

— Alors, s'ils t'ont pas encore alpagué, c'est qu'ils te filent…

Lewis se décomposa soudain. Il paraissait en rage.

— Et, avant-hier, t'es venu au garage, espèce d'andouille !

— La caméra y était peut-être encore, balbutia Glen. Les deux sont pas forcément liés ; elle a pu changer la serrure parce que…

— La ferme, minus ! Et comment t'es entré, aujourd'hui ? T'as salopé le boulot ?

Glen ne risquait pas d'avouer dans quel état il avait mis la serrure neuve.

— Non, j'ai acheté les outils exprès pour. Personne m'a vu. Ils peuvent pas prouver que la caméra était à moi.

— Et les cassettes ?

— C'est *toi* qu'as l'autre, et je la veux.

— Les cassettes vierges, crétin !

— Y en avait que trois en tout. Celle qui reste, je l'ai là.

— On bâcle la partie, et tu vas fissa te débarrasser de toute ta camelote à la décharge. Les outils compris. Et gaffe qu'on te voie pas !

Glen pensa à son cran d'arrêt sous le siège. C'était un truc que Lewis savait pas. Il ferait peut-être mieux de se débarrasser aussi de ça.

8.

Dana venait de passer les plus belles heures de sa vie, à se baigner avec Jyce, à se faire bronzer, à se prélasser. Ils s'étaient promenés dans le parc du Terlingua Ranch ; ils avaient dîné sous une tonnelle et dansé quelques slows langoureux entre les plats. Le soir, Dana avait choisi de rentrer à la caravane plutôt qu'à l'observatoire, dans l'espoir que Jyce restât avec elle toute la nuit.

Tandis qu'il la suivait dans sa propre voiture, elle avait gardé un œil sur le rétroviseur. Maintenant qu'ils approchaient du but, elle en était malade d'excitation.

Ils s'arrêtèrent l'un derrière l'autre, et Jyce pencha la tête à la vitre pour émettre un long sifflement admiratif, tandis qu'elle sortait de voiture, légère et très court vêtue.

— Tu as intérêt à courir vite, fillette !

Dana s'élança en riant, et il la poursuivit aussitôt.

— Si je t'attrape, tu vas voir !

Tout en poussant des cris d'orfraie, elle s'empressa d'introduire la clé dans la serrure, mais ses doigts tâtonnèrent, et...

— Chat !

Deux bras d'acier se refermèrent sur elle. Son sac tomba, et le trousseau de clés avec, mais ni Jyce ni elle ne s'en préoccupa.

— J'ai l'impression que tu n'avais pas vraiment envie de m'échapper, murmura Jyce en lui parsemant la nuque de baisers. Est-ce que tu me désirerais autant que je te désire ?

Dana haletait, mais pas parce qu'elle avait couru.

— Qui peut le dire ?

Elle se tourna vers lui, et il plongea les yeux dans les siens.

— Pas besoin de le dire. C'est un message qui se communique sans paroles. Nous brûlons du même désir depuis l'instant où tu es arrivée devant mon immeuble.

Ils avaient flirté presque douloureusement tout l'après-midi et, maintenant qu'ils se trouvaient enfin dans l'intimité, leurs bouches se prirent sans retenue, et leurs corps se cherchèrent, s'arquant, ondulant, battant à l'unisson.

Mais c'était loin d'être suffisant. Cette fois, Dana voulait aller jusqu'au bout.

Aussi, ce fut comme un déchirement quand Jyce se détacha d'elle.

— Je m'en veux… Je ne suis même pas capable d'attendre que nous soyons entrés dans la caravane… Dès que je te touche…

Dana était désorientée ; elle en suffoquait. La confession d'un désir aussi puissant lui rendait une bouffée d'oxygène, mais Jyce n'imaginait pas les ravages qu'il avait causés en rompant leur étreinte. Dieu, elle ne voulait plus jamais être séparée de lui !

— Pourquoi t'excuses-tu ? souffla-t-elle.

— Parce que j'avais l'intention d'aller plus lentement. Je veux que tu te sentes en sécurité.

— Je ne me sens en sécurité que dans tes bras.

— Tais-toi. Je te désire tant : c'est une agonie.

— Je te désire aussi, Jyce. Je n'ai jamais rien désiré autant que faire l'amour avec toi.

— Chut.

Il la musela d'un index sur les lèvres.

— Aide-moi, Dana. Rentre avant que je change d'avis, et interdis-moi de franchir le seuil de ta porte.

Il la regardait avec une telle intensité que Dana était obligée de le prendre au sérieux, mais il ne fallait pas compter sur elle pour dissimuler sa déception.

Au bout de plusieurs secondes, Jyce ajouta :

— Ne me regarde pas comme ça.

Vaincue, abasourdie, elle baissa les yeux, et se pencha pour ramasser son sac et ses clés.

Cette fois, ses doigts ne tremblaient plus d'excitation, mais ils se heurtèrent au même obstacle que tout à l'heure. La clé s'insérait, mais elle ne tournait pas.

Jyce essaya à son tour.

Lorsqu'il parla, son intonation avait changé.

— Ça bloque depuis quand ?

— Je ne sais pas : je ne suis pas repassée depuis lundi soir.

— Ta serrure a été forcée, Dana. Quelqu'un est entré chez toi.

Elle tressaillit.

— Glen, murmura-t-elle.

— C'est ce que je pense. Je vais chercher mes outils.

Elle acquiesça.

— Et ce saligaud n'est même pas doué pour la cambriole, maugréa-t-il de façon énigmatique, en s'éloignant.

Quel imprévu ! A la tombée du crépuscule, en guise d'ébats amoureux, Dana tenait la torche pendant que Jyce démontait et remontait la serrure.

— En prison, j'ai connu une femme qui avait été harcelée par un type qu'elle avait rencontré dans un bar. Elle a déménagé trois fois et, chaque fois, le type l'a retrouvée et s'est introduit chez elle.

— Je ne permettrai jamais que ça t'arrive, décréta Jyce d'un ton implacable qui la fit frémir.

— Jyce ?… Tu ne vas pas t'en prendre à Glen, n'est-ce pas ?

Il éluda la question.

— Attends-moi une minute, pendant que j'examine l'intérieur. Ensuite, nous discuterons des dispositions à prendre.

Dana le regarda entrer et allumer les lumières. Quelle ironie, d'avoir rêvé d'ébats passionnés dans cette caravane, ce soir ! Même si son compagnon n'avait pas été saisi de scrupules, l'invasion de Glen aurait déjoué leurs plans, de toute façon. L'ignoble avorton maléfique ! Penser que cette larve avait pu tripoter ses affaires… Elle allait tout passer dans la machine à laver… Mais, pour l'instant, Jyce allait certainement vouloir qu'ils appellent la police… Oh, Seigneur, comment allait-elle gérer ce cauchemar : les uniformes, l'interrogatoire, la déposition… ?

La sonnerie du téléphone la détourna de ses angoisses. Elle ne se sentait pas capable de parler à ses parents… Elle entra dans la pièce pour voir le nom qui s'affichait sur l'écran. C'était celui de Robert Mitchell. Elle décrocha.

— Allô ? Bob ?

— Dana ? C'est Cathy.

— Oh, Cathy, bonsoir !

Il y eut un instant de silence.

— Euh… Je voulais m'assurer que vous aviez bien reçu vos fleurs.

— Vous m'avez envoyé des fleurs ?

143

À cet instant, le grand corps athlétique de Jyce émergea de la salle de bains. Dana dut se faire violence pour ne pas courir se nicher dans ses bras.

— Le fleuriste avait promis de les livrer avant 15 heures. Je voulais tellement vous exprimer notre gratitude pour cette soirée fabuleuse !

Jyce plongeait dans ses yeux son regard pénétrant.

— Je crois savoir ce qui s'est passé, dit-elle. Elles doivent être chez mon propriétaire, à côté. J'habite une caravane, et les livreurs passent automatiquement au ranch quand je ne suis pas là. Je viens juste de rentrer ; je vais les chercher tout de suite. Merci beaucoup, Cathy, c'est très aimable à vous.

— Vous me rappellerez demain pour me dire si vous les avez eues ?

— Bien sûr ! Merci encore, Cathy. Et transmettez mes amitiés à Bob.

Quand elle raccrocha, la fureur de Jyce était évidente.

— Ces fleurs lui sont tombées du ciel, dit-il. C'était une bonne excuse pour lui si on l'avait surpris ici.

Dana écarquilla les yeux.

— Comment sais-tu qu'il s'agit de fleurs ?

— C'est l'évidence. Que peut-on envoyer d'autre pour remercier ? Bon, j'ai tout survolé. Apparemment, il n'a pas fouillé. En tout cas, il n'a pas trouvé ton arme sous le coussin du canapé.

— Dieu du ciel ! J'avais oublié !

Puis elle pensa à ses vêtements.

— Je n'ose pas vérifier toute seule le contenu de mes tiroirs. Tu viens avec moi ?

Ils refirent ensemble une inspection minutieuse, depuis les placards de la chambre jusqu'aux objets de toilette. Effectivement, Glen n'avait touché à rien.

D'une certaine façon, Dana en était encore plus angoissée.

— Alors, qu'est-il venu faire ici ?

— Il a peut-être été dérangé avant de pouvoir entrer, dit Jyce. C'est ce que j'espère, en tout cas.

Elle étouffait, maintenant, dans cette caravane.

— Je vais demander à Ralph s'il a reçu ces fleurs. Tu m'accompagnes ?

Il la scruta avec une étrange lueur dans les yeux.

— Je ne crois pas que ce soit une bonne idée, Dana. Si Glen les a prises en disant qu'il te les apportait, imagine la réaction de ce vieil homme. On va l'inquiéter, et qu'aurons-nous gagné ?

— Tu as raison. Quelle tristesse pour lui ! Il est tellement gentil...

Et à quoi bon tergiverser ? Elle savait ce que Jyce voulait lui suggérer. Elle redressa les épaules, et prit les devants :

— Bref, tu penses que j'ai intérêt à appeler la police ?

— Ce n'est pas la peine. Je les ai déjà aiguillés sur Glen Mason.

Ses traits s'éclairèrent, comme s'il lui réservait une joyeuse surprise.

— Quand j'ai porté plainte pour le pneu tailladé, je le soupçonnais déjà. Dans la foulée, j'ai dit à la police qu'il te harcelait et que je l'avais surpris en train de rôder autour de chez toi. Demain, je n'aurai qu'à passer au poste pour leur signaler l'effraction, et...

— Mais si ce n'est pas Glen qui a trafiqué ma serrure ? Jyce, nous n'avons pas de preuve !

— L'enquête le déterminera, trancha-t-il en s'approchant d'elle. Et ce n'est pas mon principal souci, ce soir, Dana.

Glissant les mains sur sa nuque, il lui massa doucement les cervicales, de façon exquise. Dana baissa instinctivement la tête, et tourna le cou de droite à gauche, pour se relaxer pleinement.

— Jeudi dernier, reprit Jyce, Art Watkins m'a demandé de distribuer une liasse de petites annonces : il a un appartement à louer dans son ranch, au-dessous de chez lui.

Dana redressa brusquement la tête.

— Ah bon ?

— Je ne sais pas si le logement est toujours libre, Dana. Mais, quoi qu'il en soit, tu ne peux pas rester ici. Et ne proteste pas ! Je me moque que tu aies une arme : ce n'est pas suffisant. Je ne te laisserai pas passer une nuit de plus seule dans cette caravane.

Protester ? Ce n'était pas son intention. Au contraire, elle reprenait espoir. Allait-il, finalement, passer la nuit avec elle ?

— Je suis entièrement d'accord, Jyce.

Il lui planta un baiser sur le nez.

— L'heure est encore décente. Si tu appelais les Watkins ?

Dana ne se le fit pas dire deux fois.

La communication ne dura que deux minutes. Quand elle raccrocha, elle était aux anges.

— Je n'y crois pas ! Ils m'attendent pour me faire visiter ! Je peux emménager tout de suite, si je veux !

Jyce prit le pistolet pour le ranger lui-même dans le coffre du 4x4, et verrouilla la porte en sortant. Dana songea que ça ne servait plus à rien puisqu'elle allait s'installer loin de Glen Mason !

Dieu qu'elle était contente !

Les Watkins habitaient dans le village, et leur maison n'était pas isolée.

— Glen n'osera pas venir te harceler ici, déclara Jyce avec satisfaction, en tournant à l'angle de la quincaillerie.

M. et Mme Watkins les attendaient sur le pas de leur porte.

Dana fut conquise par les propriétaires autant que par leur appartement, meublé avec sobriété et nanti d'un garage fermé.

— Si je l'avais su, dimanche, je l'aurais pris tout de suite !

Art Watkins afficha un air penaud.

— J'avoue que j'ai été tenté de vous en parler, mais je supposais que la caravane vous convenait. Je ne me serais pas permis de manigancer dans le dos du bon vieux Ralph pour lui retirer le pain de la bouche.

— Quand Art m'a raconté ça, dit Mme Watkins, je lui ai répondu que Jyce ne manquerait pas de vous prévenir si vous aviez des velléités de déménager.

Art lança à Jyce un regard édifiant.

— Ce qui nous fait une dette de plus envers vous, Jyce.

— Sûrement pas, Art. C'est vous qui nous rendez un grand service. J'étais très inquiet de savoir Dana toute seule dans cette caravane.

— Comme je vous comprends ! s'exclama Lynn Watkins. Isolée dans cet endroit perdu ! Quel courage ! Moi, je n'y aurais jamais vécu.

Sur un froncement de sourcils de son mari, elle rattrapa sa petite maladresse avec un sourire avenant.

— Nous sommes vraiment ravis de vous avoir comme locataire, Dana. Emménagez quand vous voulez : ce soir même, si ça vous dit.

— Et ne vous inquiétez pas pour le bruit, ajouta Art en lui remettant les clés. Nous sommes des couche-tard.

— Merci beaucoup. Je viendrai demain. J'ai des amis qui arrivent de Californie : ils m'aideront à m'installer.

Les Watkins les raccompagnèrent à leur voiture, et agitèrent la main avec des mines radieuses tandis qu'ils démarraient.

Sur le chemin du retour, Dana était surexcitée. Glen Mason lui avait finalement rendu un fier service. Et même deux car, apparemment, Jyce ne nourrissait plus le sombre dessein de la quitter.

Dès qu'ils furent arrivés, il déclara fermement :

— Pour cette nuit, tu as le choix entre deux possibilités. Je dors dans la caravane avec toi — dans ton canapé, précisa-t-il. Ou bien je t'emmène camper dans la nature : toi sous la tente, et moi devant, en chien de garde.

Elle sentit son cœur s'envoler.

— Camper ? Oh, Jyce ! Oui, oui, oui ! Mais pas sous la tente : je veux rester dehors, avec toi. Je suis jalouse, chaque fois que je t'imagine en train de dormir à la belle étoile.

— Tiens donc ? Je croyais que tu avais peur des ours et des couguars ?

— J'avais peur pour *toi* ! Comme tu ne connais pas la région, je craignais que tu t'aventures dans n'importe quelle grotte.

Il allongea le bras sur le dossier de son siège, et joua avec ses cheveux.

— Tu sais que tu me plais de plus en plus ?

« J'espère que c'est vrai, Jyce, parce que moi, je t'aime tout court. »

— C'est réciproque, dit-elle d'un ton léger. Où m'emmènes-tu camper ? Tu as un lieu de prédilection ?

— Non. Je ne m'arrête jamais au même endroit. Mais, pour ce soir, j'ai repéré une petite clairière herbeuse protégée par des genévriers, sur une propriété privée à une cinquantaine de mètres d'un certain observatoire où nous pourrions peut-être nous faufiler pour chaparder des chips et des sodas.

Dana pouffa de rire.

— Tu n'y as pas touché, à mes chips ! Je suis sûre que tu préfères les cochonneries sucrées ! Ne mens pas : je t'ai vu manger des bonbons, hier soir, avec les enfants.

Jyce éclata d'un rire plus sonore que le sien.

— Tu es vraiment terrible, Dana Turner.

Alors qu'il lui plantait un baiser sur la joue, elle s'arrangea pour rencontrer sa bouche. Mais il résista à la tentation, et quitta précipitamment la voiture.

Décontenancée, Dana resta clouée sur le siège, jusqu'à ce qu'il vînt ouvrir la portière, côté passager.

— Comme tu es la femme de mon cœur, tu auras droit au matelas pneumatique, lui dit-il. Je me contenterai du matelas d'herbe.

— C'est très généreux de ta part, mais je possède moi-même un futon.

— Oh, tu es équipée ! dit-il avec une moue de regret. Moi qui espérais échanger le matelas contre une autre faveur... J'avais une arrière-pensée, je l'avoue.

Dana en avait quelques-unes, elle aussi.

Dire qu'une heure plus tôt, il avait failli partir...

Elle ne put s'empêcher de l'asticoter :

— Quelque chose qui va nous transporter au ciel ?

Il haussa les sourcils.

— Comment as-tu deviné ? J'ai honte de l'avouer, mais je suis ignare dans ce domaine, et je suis impatient d'y remédier. Je voulais demander à mon experte favorite de m'apprendre le b.a.-ba des constellations et le nom des principales étoiles.

Ce n'était pas la réponse que Dana attendait.

En fait, à lire entre les lignes, Jyce venait de démentir la passion irrépressible qu'il clamait un peu plus tôt. Serait-il capable de passer une nuit avec elle sous les étoiles en conservant une totale maîtrise de sa sensualité ? Et, dans ce cas, comment devrait-elle interpréter son comportement ?

« Arrête de gamberger, Dana ! » Cette méfiance, qui lui faisait chercher un sens caché derrière le moindre mot, l'amenait à se comporter comme une girouette. Un instant, elle aimait Jyce aveuglément, l'instant suivant elle doutait de lui. A quoi cela ressemblait-il ? La suspicion n'était pourtant pas dans son caractère, avant... avant la prison, les Tony Roberts et les autres...

« Et qui essayes-tu de leurrer ? »

En vérité, la prison n'y était pour rien. Pas plus que les machos du monde entier. Dana était tellement amoureuse que ça lui faisait peur. C'était un sentiment qu'elle n'avait jamais connu : la peur de se tromper, la peur de souffrir si jamais, un jour, Jyce la décevait...

— Dana ?

Elle lui adressa un sourire fabriqué.

— Excuse-moi. Tu as évoqué les constellations, et je suis partie très loin. C'est ce que maman appelle un « flagrant délit de rêverie ». Papa a l'habitude de s'évader comme ça, lui aussi, au milieu des conversations...

150

Elle s'engouffra dans la caravane pour prendre quelques affaires. Quand elle en ressortit, Jyce lui conseilla de laisser une lampe allumée.

Il était tellement attentif, attentionné, protecteur... Comment pouvait-elle douter d'un homme pareil ?

Il déposa un baiser sur ses lèvres avant de regagner sa voiture. Un baiser trop bref pour elle, il le savait. Mais Dana ne se doutait pas à quel point l'intrusion de Glen Mason dans leur soirée idyllique l'avait bouleversé.

Jyce sortit du chemin en marche arrière, et attendit au coin de l'allée afin de laisser le 4x4 de Dana passer devant. Il savait qu'elle sous-estimait la perversité de son voisin, et qu'elle ignorait tout de ses activités criminelles. Et il priait pour qu'elle n'apprît jamais l'existence des vidéos... La caméra avait été achetée le samedi de la semaine précédente, en même temps que la cassette, vendue dans un lot de trois. Donc, logiquement, il n'y avait pas plus de deux films en circulation — mais c'étaient deux de trop. Jyce espérait les retrouver chez le tandem de salopards, mais il était encore trop tôt pour perquisitionner.

A l'idée que ce pervers l'eût filmée, il en était malade de rage et de douleur.

Dieu qu'il était impatient que tout cela fût terminé !

C'était une bonne chose que la surveillance eût été relâchée autour de la caravane. Le garde forestier n'aurait pas empêché l'effraction, et si Jyce avait été prévenu, il aurait été incapable de jouer le jeu.

Dana le perturbait tant qu'il avait failli se trahir avec cette histoire de fleurs ! Avant de quitter le Terlingua Ranch, il s'était isolé pour appeler Pat. Où qu'il allât, Glen était toujours filé. Les fleurs avaient été récupérées derrière lui, dans la poubelle de Fort Davis. En ce moment, le bouquet se trouvait au labo pour analyse des empreintes sur l'emballage.

Les deux malfrats s'étaient retrouvés au Gray Oak Bar. Ils ne devaient pas en mener large, maintenant que la caméra avait disparu... Au fait ! Pat ne savait pas que Glen avait constaté la disparition de la caméra !

Jyce hésita. Dans la nuit, avec le halo des phares, les virages en épingle à cheveux, Dana ne pouvait pas le voir.

Il attrapa le téléphone. Son rapport aurait pu attendre demain matin, mais il avait besoin de s'épancher.

Il fut bien inspiré. Ce n'était pas son rapport à lui, c'était le rapport de Pat qui valait le détour ! Grandiose ! L'une des cassettes avait été récupérée à la décharge, avec un couteau — probablement celui dont Glen s'était servi pour trouer son pneu. Une des trois cassettes. Neuve. Inutilisée.

Il n'en restait plus qu'une à retrouver !

Jyce raccrocha avec la sensation d'avoir été plongé dans une marmite de potion magique.

Ils arrivaient à l'observatoire.

Pendant qu'il s'occupait du futon, Dana disparut dans la salle de bains.

Ils allaient passer leur première nuit ensemble.

Jyce ne lui ferait pas l'amour, mais ce serait quand même une nuit romantique dont ils se souviendraient toute leur vie...

A condition qu'elle acceptât de partager sa vie.

Il ne pouvait plus attendre ; il décida de le lui demander dès ce soir. Pas besoin de l'effaroucher en lui parlant mariage : il s'agissait de savoir si elle l'acceptait *lui*, tel qu'il était.

Bien sûr, il garderait une face cachée, mais cette face-là ne le gênait pas. Jyce était fier d'être un ranger. Il était impatient de dévoiler à Dana son véritable métier.

Même s'il prévoyait des réticences — ce n'était jamais facile pour une femme de s'engager avec un homme qui risquait sa vie à chaque coin de rue. Mais, à ce sujet, il ne s'inquiétait pas trop : il possédait assez d'arguments pour plaider sa cause.

Sur son infirmité, par contre, sa cause ne se plaidait pas. Il n'essaierait même pas, parce qu'il n'en avait pas le droit. Même si Dana lui disait que ça n'avait pas d'importance, il serait attentif à ses réactions. Et, s'il sentait la moindre réticence de sa part, il disparaîtrait de sa vie dès le lendemain.

C'était la plus belle preuve d'amour qu'il pouvait offrir à une femme aussi chaleureuse.

Quand elle arriva dans la clairière, souriante, en survêtement, ses cheveux noirs soulevés par la brise, sa silhouette découpée par un mince clair de lune, son sac sur l'épaule… Jyce en resta bouche bée. L'apparition avait quelque chose d'irréel.

Dana Turner était d'une beauté somptueuse, presque trop parfaite pour être vraie. Plus d'une fois, cet après-midi, il avait cru rêver en la regardant. En plus, elle était renversante de gentillesse, pétillante d'humour, éblouissante d'intelligence…

— J'ai dévalisé le frigo. Ça, c'est pour toi.

Elle lui tendit un paquet de sucreries. Il lui saisit le poignet et la fit basculer sur lui.

— Tout ça et le ciel avec.

Sa bouche était fruitée, généreuse, envoûtante… trop excitante, aussi. Le cœur martelant dans sa poitrine, Jyce craignait de ne pas savoir s'arrêter, mais ce fut elle qui mit fin à leur baiser.

Elle plongea la main dans son sac, et en extirpa une énorme paire de jumelles.

— Voyons un peu ce que le firmament nous raconte.

Elle s'assit tout contre lui, et approcha son visage du sien pour faire un réglage. Puis elle lui tendit les jumelles.

— Je crois avoir trouvé quelque chose d'intéressant.

— Il faudra que ce soit très spectaculaire pour rivaliser avec ce que j'ai sous les yeux en ce moment.

Même dans la nuit noire, il crut voir qu'elle rosissait.

— Regarde là où je pointe l'index.

Jyce fut surpris.

— Elles sont puissantes !

— Indispensable pour le travail de terrain.

Puis il ravala son souffle.

— C'est vertigineux ! Qu'est-ce que je regarde, là ?

— Un trio de galaxies dans la constellation d'Andromède.

— Et dans cette spirale, il y a des millions d'étoiles ?

— Au moins ! Cela donne une notion de l'immensité, n'est-ce pas ? Attends…

Elle lui reprit les jumelles.

— Il est minuit. Laisse-moi te montrer Pégase avant qu'il ne s'estompe.

Sa science ne cessait de l'émerveiller. Le firmament ne représentait pour lui qu'un magnifique dais scintillant d'étoiles, mais, pour Dana, c'était un monde vivant.

Elle lui fit découvrir Pégase et Andromède, Orion, Rigel et Bételgeuse, la Baleine et le Petit Cheval…

— Oh, Dana… Je frémis quand je pense que si je ne t'avais pas rencontrée, je serais passé toute ma vie à côté de… C'est tellement hallucinant, je ne trouve pas de mot.

— L'infini mystère de la création.

— Il y a forcément un Grand Architecte, hein ?

— Pour moi, ça ne fait aucun doute, murmura-t-elle.

154

Jyce rangea les jumelles, puis il l'attira dans le creux de son bras. Elle s'y nicha avec facilité, comme on investit la place qui vous est réservée de toute éternité.

Le parfum de ses cheveux s'alliait divinement aux odeurs de genièvre et de résine qui flottaient dans l'air.

Blottis l'un contre l'autre, ils contemplèrent le ciel, comme tous les amoureux du monde.

Après tant d'années de purgatoire, c'était si bon pour Jyce de goûter un coin de paradis, d'aimer et d'être aimé, de désirer et d'être désiré, d'être touché par une femme, corps et âme !

Il sentait qu'elle aussi voulait savourer chaque instant de cette nuit fabuleuse. Pour elle autant que pour lui, l'heure était venue de savoir où ils allaient.

— A une certaine époque, dit-il, je ressentais toutes les beautés de la création comme une injustice.

Elle glissa la main dans l'échancrure de sa chemise pour le caresser du bout des doigts.

— Combien de temps as-tu été marié ?

Elle le comprenait à demi mots. Une fois de plus, Jyce s'émerveillait de la découvrir aussi réceptive.

— Trois ans. Qui sont passés comme l'éclair.

— A-t-elle été… longtemps malade ?

— Longtemps sans que nous le sachions. Son cancer a été détecté quand nous avons consulté un spécialiste parce qu'après deux ans de mariage, nous n'avions toujours pas d'enfant. Entre autres catastrophes, il nous a annoncé que j'étais irrémédiablement stérile.

Sans rien dire, Dana se serra contre lui.

— A partir de là, reprit Jyce, nous avons essayé de vivre chaque jour pleinement.

Il sentit la caresse de ses cheveux, tandis qu'elle hochait doucement la tête.

Soudain, elle se redressa d'un bond, le visage penché sur le sien.

— Je crois que tu me plais, Jyce Riley, chantonna-t-elle en mordillant sa bouche.

Elle ne mit aucun lyrisme dans son baiser : ni compassion ni tragédie. C'était une invitation à s'explorer l'un l'autre, lentement, profondément, jusqu'à ce que les feux du désir se rallument.

Mais, quand la passion atteignit l'ivresse, ce fut elle qui rompit brutalement leur étreinte, renversant la tête en arrière avec une mimique espiègle.

— Je veux que tu te sentes en sécurité avec moi, Jyce. Alors, que puis-je faire ?

Cette fille était sublime, à tous les niveaux.

S'interdisant de rire ou de pleurer d'émotion, Jyce se redressa, menaçant.

— Grimpe sur ton futon, petite sorcière ! Et ne m'approche plus !

9.

Il ne se souvint pas de s'être endormi.

Quand il rouvrit les yeux, le ciel s'éclaircissait à l'est, et seules les étoiles les plus brillantes scintillaient encore. Un parfum de fraises sauvages se mêlait à ceux qu'il respirait habituellement lorsqu'il dormait dehors.

Cela paraissait incroyable, mais c'était la première fois de sa vie qu'il dormait dehors avec une femme. Cassie n'aimait pas camper.

Ils étaient dans les bras l'un de l'autre. Comment avaient-ils fait ? Apparemment, leurs sacs de couchage s'étaient rapprochés pendant leur sommeil.

Elle respirait paisiblement. A travers l'épaisseur du duvet, il la sentait chaude, vivante et vibrante. Incapable de se retenir, Jyce se déplaça légèrement pour la regarder.

Il écarta une mèche de ses cheveux, puis se pencha pour goûter le velouté de sa joue, son oreille, sa paupière, sa bouche.

Jyce était plutôt tendre : il n'abandonnait pas les femmes au petit matin, comme un goujat. Mais, avec Dana, il n'avait pas fait l'amour. Et pourtant, il se sentait plus heureux que jamais.

Ses sentiments étaient forts et violents. Les plaisirs du corps viendraient après. Dana avait transformé sa vie… D'une façon ou d'une autre, l'impossible était arrivé.

Jyce était amoureux.

Quel enchantement de se retrouver à côté de Jyce en ouvrant les yeux !

La pénombre rendait son regard particulièrement pénétrant. Les petites rides qui entouraient ses tempes accentuaient son air de pirate. Dana ne l'avait jamais vu au réveil, avant qu'il ne fût rasé. Elle adorait tout, chez cet homme.

Elle caressa sa joue rugueuse. Il grimaça.

— Je ne suis pas beau à voir, le matin.

« Si tu étais une femme, mon ami, tu saurais combien tu te trompes ! »

— Tu corresponds exactement à l'idée que Heidi se fait du mâle texan.

Il eut un grand sourire.

— Et quelle est son idée ?

Dana employa son ton le plus solennel.

— Grand. Fort. Irrésistible.

Jyce se laissa tomber sur son matelas avec un rire tonitruant.

Dana se sentit fondre de tendresse et d'amour. Cet homme ne possédait pas une once de vanité. Elle couvrit son visage de petits baisers.

— Heidi m'a donné sa définition alors que tu venais de m'apporter cette enveloppe, et j'ai immédiatement pensé à toi.

Il cessa de rire.

158

— Pourtant, quand tu as ouvert ta porte, je me suis demandé si je m'étais transformé en loup-garou. J'ai cru que tu allais t'évanouir en me voyant.

Dana ne risquait pas d'oublier cet instant, mais elle préféra louvoyer.

— Je... j'ai cru que c'était Glen. Je m'apprêtais à le remettre à sa place.

— Menteuse ! Tu m'avais entendu appeler, et je n'ai pas la même voix que lui. C'est moi qui t'ai inspiré une terreur panique, et j'aimerais bien savoir pourquoi. Est-ce que je ressemble à quelqu'un qui...

— Non ! Non, pas du tout.

— Alors, quoi ?

— Tu vas me trouver ridicule.

— Le ridicule ne tue pas.

— D'accord. Je t'avais pris pour un Texas ranger. Depuis mon acquittement, je vis dans l'angoisse constante que le juge revienne sur son verdict pour une raison quelconque. Je sais que c'est irrationnel, mais la vue d'un uniforme me terrifie toujours. Je m'attends constamment à recevoir un mandat d'amener qui me renverra à Fielding.

Elle avait déjà remarqué que ses traits se durcissaient chaque fois qu'elle évoquait son incarcération, mais, dans le petit jour blafard, il avait une expression étrange, presque soucieuse. Etait-il en train de mesurer à quel point la prison l'avait affectée ? Etait-il en train de penser qu'elle ne s'en sortirait jamais, et qu'il ferait mieux de prendre la poudre d'escampette ?

Elle tenta de sourire.

— Heureusement, tu n'es pas un ranger. J'ai vu ton insigne IPS, et je me suis rendu compte que tu ne portais pas l'uniforme de la police.

Il prit son visage à deux mains.

— Dana. Tu n'aurais jamais dû aller en prison, et tu n'y retourneras pas.

Il ponctua son affirmation d'un long baiser farouche. Quand il la relâcha, Dana enfouit la tête dans son cou, mortifiée d'avoir étalé ses faiblesses devant lui.

— Moi aussi, j'ai maudit le ciel. L'aumônier distribuait aux détenues une brochure intitulée *Tragédie ou Destinée*. On nous y expliquait que les voies de Dieu sont impénétrables, que les épreuves qu'Il nous envoie sont toujours un mal nécessaire, que nous ne pouvions pas le comprendre sur le moment, mais que le jour où la lumière se ferait, nous Le remercierions...

Elle sourit malgré elle.

— Aujourd'hui, je comprends, et je remercie, conclut-elle.

Jyce resserra son étreinte.

— Tu comprends quoi ?

— Que l'épreuve m'a amenée à Cloud Rim. Autrement, je n'y serais jamais venue.

— Et l'observatoire ?

— Mes parents l'ont créé dans l'intention de prendre leur retraite dans la région. Quand leur vie s'est écroulée avec la mort tragique de Mary et ma condamnation à trente ans d'enfermement, ils ont abandonné leur rêve. Ils ont laissé l'observatoire vide, et ils ont renoncé à faire construire une villa à côté...

Jyce la caressait doucement. C'était bon de lui parler de ses parents.

— Ils ont repris les rênes quand j'ai été libérée. Ils savaient que j'avais un besoin vital d'intimité et d'espace, et que j'étais incapable d'affronter un retour au mont Palomar... Papa a pressé les ingénieurs pour que l'observatoire soit performant en un mois. Maman m'a cherché un logement ;

160

elle n'a rien trouvé d'autre que la caravane, à Cloud Rim. Elle m'a demandé si je ne préférais pas un pied à terre à Fort Davis…

— En fait, la caravane te convenait, parce que tu avais envie de rester seule ?

— Euh, oui. Mais, maintenant, j'ai changé, assura-t-elle vivement. Tu as bien vu, l'autre soir, chez Millie… Je ne vais pas me morfondre toute ma vie, Jyce.

Il lui caressa les cheveux.

— Et si tu n'avais pas été victime de cette erreur judiciaire, qu'aurais-tu fait après ton agrégation ?

Dieu qu'elle aimait sa façon de dire les choses !

— Je serais partie deux ans en Angleterre, pour préparer mon doctorat avec une bourse universitaire. Après, je serais revenue ici, en espérant décrocher un poste sur la côte Est.

— Au lieu de cela, la brillante Mlle Turner est devenue le joyau de la couronne de CalTech au mont Luna.

Depuis hier après-midi, il s'était arrangé pour la faire rougir au moins une demi-douzaine de fois.

— Certainement pas un joyau. Mais j'avoue que mes parents sont heureux de me savoir ici, gardienne du trésor familial.

— J'aimerais beaucoup les rencontrer.

— Oh, pas de problème !… A propos de rencontre, pourras-tu te libérer, à midi, pour déjeuner avec Heidi, Randall et Kevin ?

Elle reçut un baiser sur le front, et Jyce s'extirpa de son sac de couchage.

— A mon grand regret, non, parce que je démarre ma tournée en retard, et la faute en incombe à une ravissante créature. Si je veux finir dans les temps, je me contenterai pour déjeuner d'un sandwich en conduisant.

Dana l'aida à dégonfler le matelas pneumatique en le piétinant consciencieusement. Jyce lui saisit le menton entre deux doigts.

— Tu me fais penser à ma petite nièce, Julia, quand elle boude. Elle ferait fondre un cœur de pierre. L'ennui, c'est que IPS n'a pas de cœur du tout.

Le nez plissé d'une grimace moqueuse, Dana sortit de son sac les provisions qu'ils n'avaient pas entamées.

— Ton casse-croûte pour la route, dit-elle. Désolée : les sodas ne doivent plus être très frais… Et touche pas mon futon !

— Laisse-moi ranger tes affaires dans le coffre avant de…

— Non ! Plus vite tu seras parti, plus vite tu seras revenu. Je t'accompagne à ta voiture. Je m'occuperai de ça après.

Leur chargement sous un bras, ils regagnèrent l'observatoire en se tenant par la taille.

— Où sont logés tes amis ?

— Au Ponderosa de Fort Davis.

— Bien. Dès que j'ai fini ma journée, je te téléphone, et tu me donnes tes instructions.

Il rangea son matelas dans le coffre, et Dana déposa le sac sur le siège passager. Elle sentit sa lèvre trembler. Jyce s'en rendit compte, lui aussi. Il l'enveloppa dans ses bras.

— Si tu crois que je suis content de partir…

Son baiser lui prouva le contraire.

Puis, à la lumière orangée du soleil levant, Dana regarda sa voiture disparaître sur le chemin.

*
* *

En arrivant à Alpine, Jyce avait dévoré le contenu du sac : bananes, barres de chocolat et jus de pomme. Il n'avait apaisé que l'un de ses appétits. Pour l'autre, il devait attendre de revoir Dana.

Il fonça sous la douche. Quel soulagement de penser qu'à partir d'aujourd'hui, elle habiterait chez les Watkins ! Si seulement il avait pu l'inviter ici… Hélas, il y avait trop d'indices compromettants dans son appartement de fonction. Son uniforme de Texas ranger, pour commencer.

Quand elle lui avait avoué sa phobie de la police, son cœur s'était mis à battre si fort qu'il avait craint qu'elle entendît les pulsations résonner en écho dans la montagne.

Pour parvenir à maîtriser ses craintes, Jyce avait dû concentrer toutes ses pensées sur le fait qu'elle acceptait sa stérilité.

Dana l'avait rassuré sur ce sujet crucial d'une façon tout à fait inattendue pour lui. « Je veux que tu te sentes en sécurité avec moi, Jyce », lui avait-elle dit en répétant ses propres mots avec un humour déconcertant. Cette femme était un véritable prodige.

Si elle l'acceptait tel qu'il était, elle céderait aussi sur son métier. Jyce se faisait fort de la convertir à l'uniforme de Texas ranger. D'ailleurs, il ne manquait pas de prestige, quand il le portait.

« Vaniteux, Riley ! Non, amoureux, mon vieux ! »

« Cesse de batifoler, idiot, tu vas te couper ! »

Il acheva de se raser en s'efforçant de penser à sa mission. Bon sang, qu'il avait hâte de voir Glen Mason derrière les barreaux ! Et Lewis Burdick avec. Dire que cette vidéo était entre leurs sales pattes ! A cette seule idée, Jyce leur aurait arraché les yeux.

Il rongeait son frein parce qu'il espérait ardemment que ces deux-là fussent les gangsters qu'il recherchait. Grosso modo, ils correspondaient à la description succincte que le chauffeur du blindé avait pu livrer en exhalant son dernier soupir. « Le plus petit sous les ordres du plus grand. » C'était mince, comme portrait-robot, mais ça cadrait.

C'était une bonne chose que Dana reçût ses amis, songea Jyce. La sachant en bonne compagnie, il aurait moins de scrupules à prospecter en montagne pendant tout le week-end.

Il appela Pat, un peu plus tard, en démarrant sa tournée.

— Pas d'autres bonnes nouvelles à se mettre sous la dent ? lança-t-il.

— Tu m'as l'air bien guilleret, toi, ce matin !

— On le serait à moins. Il me suffit de penser que Dana déménage aujourd'hui pour me sentir euphorique.

— Là, je te comprends. Tous mes gars ont soufflé de soulagement quand je les ai prévenus. Mais ils ont tous eu la même réaction : Glen va perdre la boule, alors, attention !

— Et Burdick aussi, à sa manière. Il doit transpirer de frousse, à cause de la disparition de la caméra.

— Sûr que le torchon doit brûler entre eux !

— Si seulement ça pouvait les pousser à la faute, qu'ils se jettent dans la gueule du loup…

— Je place une sentinelle au ranch, ce soir, pour voir s'il s'aperçoit qu'elle a déménagé.

Jyce soupira.

— Il me faut une preuve en béton qui les rattache au meurtre de Gibb, Pat.

— Il te reste combien de zones à prospecter ?

— Tout le flanc nord-est en dessous de l'observatoire.

— J'ai comme l'impression que notre avion se cache par là.

— J'espère que tu es dans le vrai, parce que je ne l'ai trouvé nulle part ailleurs. C'est pour ça que je t'appelle, d'ailleurs. C'est le coin le plus boisé et, d'après la carte d'état-major, je vais être obligé d'emprunter les pistes coupe-feu. Si les tueurs sont là au moment où j'approche de la fameuse grange, je n'ai pas envie de me faire repérer.

— Tu veux une jeep du service forestier ?

— T'es génial, Pat ! On ne peut rien te cacher. Un uniforme de garde, aussi. Taille Texas ranger, précisa-t-il avec un sourire intérieur.

— Tu seras livré dans la journée, livreur. La jeep sur le parking de derrière, les clés sur le comptoir de ta cuisine, et l'uniforme caché dans ta penderie, au cas où tu rentrerais avec quelqu'un.

— En principe, aucun risque, mais tu as raison : on ne sait jamais ce qui peut arriver. Merci, Pat. Comme d'habitude.

— Eh, tu te souviens de ce que je t'ai dit : que j'ai les cheveux qui se hérissent sur la nuque quand je sens qu'on tient le gibier ?

— Et ils se hérissent, là ?

— Hmm.

— Moi aussi, je sens qu'il va se passer quelque chose. Quelque chose de colossal. Le tout, c'est de prévoir où et quand.

— Fais confiance à ton flair, Jyce. A la prochaine.

Heidi avait téléphoné pour annoncer leur arrivée aux environs de midi et demi. Dana les guettait à l'entrée du Ponderosa, en trépignant d'impatience. Quand ils tournèrent sur le parking, elle vit le flamboiement d'une chevelure rousse derrière le pare-brise, avant même de reconnaître la voiture.

— Heidi !

— Dana !

Randall dut écraser le frein pour éviter que sa femme ne descendît en marche.

Les deux amies s'élancèrent l'une vers l'autre, et s'étreignirent.

— Oh, Heidi, tu n'imagines pas comme je suis heureuse de te voir !

— Et moi donc !

— J'ai tant de choses à te raconter : je ne sais pas par où commencer !

— En tout cas, Dana Turner, je te trouve resplendissante !

— Tu exagères !

— Non, non, pas du tout. Tu rayonnes. Il y a quelque chose comme une explosion cosmique… Ça n'aurait pas un rapport avec certains yeux d'obsidienne ? Avoue !

— Si !

L'aveu jaillit de ses lèvres sans aucune difficulté.

— Je suis amoureuse de l'homme le plus *extraordinaire*… hormis ton mari, bien sûr. Oh, Heidi, tu as raison : j'ai l'impression d'exploser à l'intérieur. Tu comprendras quand tu le verras ! Tu vas l'aimer autant que j'aime Randall… A propos… laisse-moi te regarder. Ne bouge pas !

Elle tourna lentement autour de son amie, et se mit à rire en la voyant rougir.

— On dirait que ta silhouette est devenue plus voluptueuse, depuis notre dernière entrevue. Je parie que ton mari adore ça.

— Dana !

166

— N'est-ce pas, Randall ? lança-t-elle avec malice, tandis qu'il descendait de voiture, suivi de Kevin et d'un beagle frétillant qui courut vers elle pour renifler ses sandales.

Elle se pencha pour le gratter entre les oreilles.

Randall lui adressa un sourire amusé.

— Je crains de ne pas avoir entendu la question. Si on s'embrassait, d'abord ?

Dana se jeta dans ses bras.

— Alors, tu vas être papa pour la deuxième fois ? Tu dois être fou de bonheur !

— C'est exactement ça, murmura-t-il.

Ses yeux d'un bleu époustouflant plongèrent dans ceux de Dana.

— Tu me sembles encore plus belle qu'avant. Je n'aurais jamais cru que ce soit possible.

— C'est exactement ce que j'ai dit à Heidi quand elle t'a rencontré, répliqua-t-elle avant de se tourner vers Kevin.

L'adolescent avait grandi de façon spectaculaire.

— Es-tu déjà trop vieux pour embrasser ta vieille Tata-Dana ?

Son visage juvénile s'éclaira d'un grand sourire.

— Non, c'est O.K.

— Tant mieux, parce que je t'y aurais obligé, de toute façon !

Quand ils s'embrassèrent, Furet voulut participer : il les fit rire en jappant et en sautant sur eux avec une bonne humeur à toute épreuve.

Bientôt, les yeux de Dana s'embuèrent.

— Que je suis heureuse de vous revoir tous les trois !… Qu'avez-vous programmé ? Vous vous installez, et on va déjeuner ? A moins que vous n'ayez déjà mangé ?

Heidi arbora sa mine penaude.

167

— Je dois t'avouer que les hommes ont englouti quelques-uns des brownies de ta mère, et que, dans la foulée, je me suis laissé tenter. Mais, rassure-toi, ce n'est qu'une goutte d'eau dans l'océan : elle t'en a préparé des kilos.

— Pas de nausée matinale ?

— Non, juste une faim dévorante. Si je ne me surveille pas, je vais me transformer en bombonne avant que ma grossesse soit réellement apparente.

— Oh, Heidi ! C'est inouï ! Tu vas avoir un bébé ! Tu te rends compte, vraiment ?

— Pas encore.

— Espérons qu'il ne soit pas roux ! lança Kevin. Parce que, vraiment, poil de carotte…

Un sourire complice passa entre Randall et sa femme.

— Je connais un homme roux extrêmement séduisant, déclara Dana.

Randall fronça les sourcils d'un air suspicieux. Elle le détrompa avec un sourire ironique.

— Le Pr James McDermitt, un très célèbre astronome anglais.

Le manège des adultes échappa à Kevin.

— Probablement Irlandais, rectifia-t-il. Comme les ancêtres de Heidi. Est-ce qu'ils sont tous rouquins, là-bas ?

Les épaules de Randall furent secouées d'un rire muet.

Dana arbitra.

— C'est moitié-moitié, tu sais. Le bébé peut avoir les cheveux noirs de ton papa.

— Ce serait chouette !

Kevin était blond comme les blés. Il avait appris très récemment que l'homme qu'il considérait comme son père n'était pas son véritable géniteur.

— Si on allait remplir les fiches à la réception ? lui proposa Randall. Laissons les femmes jacasser : elles en meurent d'envie…

— Reste ici, Furet, ordonna le jeune maître à son chien, tout en s'éloignant.

L'animal s'assit sagement aux pieds de Heidi.

— Vous avez fait de gros progrès, Kevin et toi, remarqua Dana. Il y a deux mois, il n'aurait jamais osé se moquer ouvertement de tes cheveux.

— C'est un garçon formidable.

— Et avec sa mère ? Les choses s'arrangent ?

Heidi hocha la tête.

— Ça va mieux. En fait, depuis qu'il vit avec nous, il la voit beaucoup plus qu'avant. Elle ne s'était jamais occupée de lui, faute de temps : elle travaille jour et nuit. Maintenant, quand il lui rend visite, elle se libère, et ils passent un peu de temps ensemble. Du coup, Kevin ne rechigne plus à y aller, et Fay ne se sent plus menacée. Je suis contente qu'il ait de bons rapports avec sa mère.

— Et je te vois d'ici aplanir les angles… Je t'admire, Heidi. Ça ne doit pas être facile d'être brusquement promue belle-mère d'un adolescent.

— J'essaye plutôt d'être son amie. Et Randall m'aide tellement ! Je l'aime chaque jour davantage… Enfin, il faudra quand même veiller à ce que Kevin ne se sente pas exclu, quand le bébé sera là. On en a déjà discuté tous les trois à cœur ouvert…

Heidi s'interrompit, les larmes aux yeux.

— Il nous a épatés. Tu sais ce qu'il a répondu à son père ? « Pourquoi je serais jaloux ? Moi aussi, j'étais avec toi quand j'étais bébé. Et, après, tu m'as toujours vu autant que tu as pu. C'est pas ta faute si tu m'as manqué. »

— Randall a dû être ému.

— Tu penses !

Heidi regarda autour d'elle en prenant une profonde inspiration.

— C'est le paradis, ici : tout ce soleil et ce ciel bleu !

— C'est vrai, on est gâtés : on n'a pas eu d'orage depuis dix jours, mais vous pourriez bien en essuyer un ce week-end.

— Alors, là, on retient trois places avec toi au sommet du mont Luna pour assister au feu d'artifice !

Ils étaient tous fascinés par l'orage. Pourvu que Jyce partageât ce goût un peu spécial… Dana n'en doutait pas vraiment. Les orages devaient l'exalter autant que les étoiles. Ils partageaient tant de choses !

Et ce qu'ils avaient partagé hier soir l'avait bouleversée… Combien d'hommes auraient avoué aussi simplement leur stérilité à une femme au tout début d'une relation ?

— Est-ce que Randall avance sur le dossier de Consuela ? demanda-t-elle soudain.

Heidi acquiesça avec un sourire radieux.

— Rosita pourrait bien retrouver sa maman d'ici peu.

Dana ne s'étonna pas que son amie eût répondu directement au sens caché de sa question : elles s'étaient toujours comprises à demi mot.

— Mais, de toute façon, ajouta Heidi, la naissance de mon bébé te donnera peut-être d'autres envies que l'adoption.

— Je ne crois pas, répondit Dana sincèrement.

Il y avait tellement d'enfants abandonnés ! Dana avait toujours rêvé d'en adopter plusieurs… à condition de rencontrer un homme qui partageât ce désir avec elle. Elle était sûre que Jyce… Mais il ne fallait surtout pas s'emballer : ils n'en étaient pas là !

170

— Oh, les voilà ! s'exclama Heidi. Et je n'ai même pas encore ouvert le coffre.

Comme s'il lisait leurs pensées lui aussi, Randall glissa un bras autour des épaules de Dana.

— Je suppose que tu brûles de m'interroger sur Consuela ? Tant mieux parce que j'ai une bonne nouvelle pour toi : je suis sur le point d'obtenir la révision de son procès.

Heidi avait un peu éventé le scoop, mais la surprise n'en fut pas moins suffocante.

— Randall ! Tu es un magicien ! Comment as-tu fait ?

— J'ai découvert des anomalies dans l'une des dépositions. Une maîtresse de l'ex-mari, qui a menti au tribunal, sous la menace. Notre chance, c'est qu'elle parte s'installer à Seattle et qu'elle ne craigne plus les représailles. Elle accepte de revenir sur ses déclarations, dans la mesure où le juge lui accordera l'immunité pour son faux témoignage.

Dana sauta au cou de Randall.

— Oh, Randall ! Si Consuela pouvait retrouver la liberté et vivre avec sa petite Rosita grâce à toi... Comment te rembourser ?

— J'ai été payé d'avance : si tu n'avais pas été en prison, Heidi ne m'aurait pas contacté pour t'aider à en sortir, et je n'aurais jamais trouvé ce bonheur. La vie est ainsi faite, Dana, avec ses injustices et ses miracles...

« Les voies de Dieu sont impénétrables », songea Dana, en écho à sa conversation avec Jyce, ce matin.

Kevin avait déjà commencé à transporter les bagages dans leurs chambres mitoyennes. A eux quatre, ils se chargèrent de ce qui restait.

Quand la famille fut installée, Randall se dirigea vers le mini-réfrigérateur en proposant des sodas à la ronde.

Dana remarqua qu'il paraissait fatigué — comme quelqu'un qui vient de conduire douze heures d'affilée. Jugeant qu'un supplément de sommeil ne ferait pas de mal à Heidi non plus, Dana refusa les sodas.

— Si je vous laissais plutôt faire une petite sieste ?... Kevin, si tu es d'accord, j'ai un petit travail pour toi. Tu peux emmener Furet... à moins que tu préfères te reposer, toi aussi ?

Kevin préféra accompagner la jeune femme.

— Maintenant, c'est moi qui te suis redevable, lui chuchota Randall à l'oreille, tout en l'embrassant.

Heidi forma avec les lèvres un « merci » muet, et ils se donnèrent rendez-vous en fin d'après-midi.

— A quoi tu veux m'embaucher ? demanda Kevin quand ils furent dans la voiture. J'ai rien demandé devant eux parce que ça avait l'air d'être un secret.

Le tact du garçon était étonnant. Dana comprit pourquoi Heidi vantait ses qualités : elle n'exagérait pas.

— Primo, tu n'es pas obligé de travailler : ta compagnie me fait déjà très plaisir. Mais, si tu me donnes un coup de main, je te paye quinze dollars de l'heure.

— Whaou ! Je ne gagne pas ça en tondant les pelouses. Qu'est-ce que c'est ?

— Transporter mes affaires dans mon nouvel appartement.

— Tu déménages ? Heidi m'a pas dit.

— Parce qu'elle ne le savait pas.

— Tu t'en vas à cause du p'tit mousquetaire d'à côté qui arrête pas de t'embêter ?

Dana ne put s'empêcher de rire. Le surnom inventé par Heidi était, hélas, trop beau pour cette racaille.

— Glen ne se contente plus de m'ennuyer ; c'est un véritable fléau, dit-elle. Il est entré dans la caravane par effraction pendant mon absence.

— Il a défoncé ta porte ?

— Trafiqué la serrure. Je m'en suis aperçue hier soir, en rentrant.

— Sapristi !

— Sapristi, tu peux le dire… Jyce m'a aussitôt trouvé un appartement, et j'ai signé le bail sur-le-champ.

— Qui c'est, Jyce ?

— Jyce Riley, l'homme que je fréquente.

Les yeux de Kevin s'arrondirent comme des soucoupes.

— T'as un copain ?

— Hmm. Tu vas le rencontrer ce soir.

— Et tu l'aimes ?

— Oui.

— Vous allez vous marier ?

— S'il me le demande.

— J'espère qu'il va te le demander.

— Merci, Kevin.

Comme ils abordaient le col redescendant sur Cloud Rim, l'attention du garçon fut accaparée par la splendeur du paysage.

— Comment ça se fait qu'on ne voit pas l'observatoire, d'ici ?

— Parce que nous sommes beaucoup plus bas : il est caché par la perspective des arbres. Il est plus visible du côté de Big Bend.

Bien qu'à cette heure-ci Glen dût travailler, Dana redoutait un peu de tomber sur lui. Elle ne relâcha sa tension qu'à l'arrivée. Le pick-up bleu n'était pas garé dans l'allée du ranch.

— Pour le déménagement, tu n'es pas obligée de me payer, tu sais, dit Kevin.

— J'apprécie beaucoup ton geste… Disons que je te donnerai la somme promise, mais ce ne sera pas un salaire : ce sera un remerciement. Marché conclu ?

— O.K.

Dana n'avait pas amassé énormément de choses. La caravane fut vidée en deux heures, et il restait même assez de place dans la voiture pour son passager assis à l'avant avec un chien poussiéreux sur les genoux. Furet s'en était donné à cœur joie dans le petit bois.

Enfin, la jeune femme prit la route avec la légèreté que l'on éprouve en abandonnant un lieu maudit.

— Tu ne préviens pas le propriétaire que tu t'en vas ?

— J'ai payé mon loyer jusqu'à la fin du mois. Je reviendrai faire le ménage la semaine prochaine, et j'en profiterai pour passer le voir.

S'il le fallait, elle lui verserait même un dédommagement pour le préavis.

— Glen va sûrement s'apercevoir que tu es partie !

— C'est le dernier de mes soucis. Là où je vais, il n'osera pas me…

La sonnerie de son portable la fit sursauter.

— Allô ?

— Dana.

Le timbre de sa voix la faisait fondre comme une glace au soleil.

— Comment ça va ?

— Toujours bien quand je t'entends, répondit Jyce. Mais j'ai pris une demi-heure de retard. Quels sont tes plans pour la soirée ?

— Rejoins-nous au motel dès tu pourras. On décidera tous ensemble.

— Je me dépêche.

— A tout de suite.

Quand elle raccrocha, Kevin la regardait avec un petit sourire entendu.

— Il nous faut encore le temps de décharger, dit-il.

Dana était beaucoup trop pressée de se retrouver avec Jyce et ses amis pour terminer le travail entrepris.

— On fera ça ce soir. Je vais juste porter mes affaires de toilette et une tenue de rechange dans l'appartement. Tu voudras bien m'attendre ? C'est dans un ranch, au flanc de la montagne. Tu pourras promener ton chien.

— Pas de problème. J'en connais un qui ne demande pas mieux, hein, Furet ?

Le beagle lui lécha le menton.

— Tu sais que tu es un garçon formidable ? lui dit Dana. Tu as transformé ma corvée en amusement. Tu n'imagines pas à quel point j'apprécie.

— Ça m'a amusé aussi.

— Je comprends pourquoi Heidi t'adore.

— Elle est vraiment chouette.

Comme son amie aurait aimé entendre cette déclaration !

Randall n'était peut-être pas le père biologique de Kevin, mais il lui avait inculqué ses valeurs, et il en avait fait le fils que tous les parents souhaiteraient avoir.

De retour au motel, Dana se gara devant le hall, et ferma ses portières à clé car son 4x4 contenait toutes ses affaires.

La sieste avait totalement régénéré Randall et Heidi qui voulaient soudain tout savoir sur Jyce.

— Assieds-toi sur la sellette ! dit Randall en indiquant le canapé à Dana. Kevin raconte que tu vas te marier !

— Quand a-t-il eu le temps de te dire ça ?

— Juste avant de filer sous la douche. Alors ?

— Eh bien… j'espère… Si Jyce me le demande.

— Nous parlons bien d'un homme que tu ne connaissais pas la semaine dernière ?

Assise sur l'accoudoir du fauteuil de son mari, Heidi pencha sa tête flamboyante contre la sienne.

— Mon chéri, j'ai su que je voulais t'épouser au premier regard que j'ai posé sur toi.

— Moi aussi, assura Randall en prenant sa main pour la couvrir de baisers. Seulement, moi, je me connais, et nous parlons d'un monsieur que je ne connais pas. C'est toute la différence.

Il ramena son regard perçant sur Dana.

— Avoue qu'il y a de quoi être surpris ! lui dit-il.

— Tu sais que nous avons des instincts protecteurs quand il s'agit de toi, ajouta Heidi avec un sourire d'excuse.

Dana refoula une bouffée d'émotion.

— Je ne m'en plains pas, au contraire.

— Alors, rassure-nous. Tu avais l'habitude de m'appeler trois fois par jour et, depuis que ces yeux d'obsidienne sont entrés dans ta vie, le téléphone ne sonne plus.

— Tu connais sa famille ? demanda Randall. D'où est-il originaire ?

Dana essaya de ne pas perdre pied.

— D'Austin. Sa famille est là-bas. Il a deux frères, mariés, avec des enfants. Il a été marié, lui aussi. Il avait un emploi régulier au siège d'IPS, mais sa femme est morte d'un cancer et, après, il a ressenti le besoin de bouger. Maintenant, il effectue des remplacements ; il… navigue à travers le Texas.

Elle ponctua son récit d'un vaillant sourire.

— Pour l'instant, il loue un appartement à Alpine. Mais il partira sans doute bientôt. J'essaye de ne pas trop y penser.

— Il t'a invitée chez lui ?

— Non ! Qu'est-ce que tu vas imaginer ? On n'a pas encore…

Kevin choisit ce moment pour faire irruption, les cheveux encore humides, son chien sur les talons.

— Tu leur as dit que le p'tit mousquetaire avait cassé ta serrure ?

— Quoi ? s'écria Heidi.

Randall se décomposa.

— Que s'est-il passé ?

— Une histoire stupide…

— J'exige de l'entendre, et dans le détail !

Le détective Poletti avait brusquement changé de registre. Dana retrouvait l'homme auquel elle avait eu affaire, au parloir de Fielding, quand il décortiquait ses moindres mots pour y déceler l'infime indice qui lui permettrait de la faire sortir de prison.

Elle raconta tout en bloc, sans attendre qu'il la questionnât plus avant.

— Jyce a été le premier à découvrir que Glen rôdait du côté de la caravane en mon absence. Dans la conversation, je lui ai dit que Ralph Mason avait un double des clés, alors il m'a emmenée acheter une serrure neuve et il me l'a installée.

— Il avait vu Glen entrer chez toi ?

— Non. Mais, hier soir, on a découvert que la nouvelle serrure était abîmée ; Jyce a dû la réparer pour que la clé fonctionne. On suppose que c'est l'œuvre de Glen. De même que la disparition d'un bouquet de fleurs qui m'était adressé et qui a été livré au ranch.

177

— C'est Jyce qui t'envoyait les fleurs ?

— Non, des amis. En remerciement de… Mais quelle importance, Randall ?

— Tu t'es assurée qu'elles avaient été livrées ?

Dana retint un soupir d'exaspération.

— Non. Parce que Ralph Mason a quatre-vingt-dix ans, et que nous n'avons pas jugé nécessaire de le perturber ; il s'inquiète déjà assez pour son petit-fils.

— Qui « nous » ? L'idée est venue de toi, ou de Jyce ?

Le soupir lui échappa.

— De nous deux. Et, sur le moment, Jyce était surtout préoccupé par le fait de me trouver un autre logement.

— Un appart hyper chouette ! lança Kevin. Dans le ranch du quincaillier.

— Et j'y dormirai ce soir, grâce à ton fils qui m'a aidée à déménager.

— Elle m'a payé trente dollars !

— Tu as quand même prévenu la police pour l'effraction ? poursuivit Randall, hermétique aux commentaires de son fils.

— Jyce s'en est chargé.

— Mais tu étais présente quand l'officier est venu faire le constat ?

— Ah, j'ai oublié un détail ! reprit Dana. Jyce avait trouvé un pneu crevé au couteau sur sa fourgonnette de service. IPS a porté plainte. Dans sa déposition, il avait déjà signalé qu'il soupçonnait Glen Mason. Par conséquent…

— Là n'est pas la question, Dana. Tu aurais dû appeler la police, et Jyce a eu tort de t'en dissuader. Je comprends que tu sois amoureuse, mais j'ai l'impression que ce gars a pris le contrôle de ta vie, et je n'aime pas ça du tout.

Cette fois, Heidi posa les mains les épaules de son mari, et entreprit de le masser.

— Chéri, on est en vacances, souviens-toi !

Dana adressa à son amie une œillade complice, puis se leva.

— Je suis ravie, déclara-t-elle avec un sourire légèrement ironique. Entre Jyce et toi, je me sens totalement en sécurité.

— Je commence à avoir faim, annonça soudain Kevin. A quelle heure il vient ?

— Il nous attend peut-être déjà dans le hall. Ça vous dirait d'aller dîner à l'Auberge de France ? La cuisine est succulente, et on pourrait faire une partie de golf miniature, après.

— Oh ouais ! Génial !

— Si les parents sont d'accord, marché conclu.

— Les parents sont d'accord, confirma Heidi.

Randall hocha la tête. Il ne s'était toujours pas déridé.

10.

Jyce s'était préparé à aimer les amis de Dana avant de les connaître. Il ne fut pas déçu. Heidi était un véritable amour, et Kevin, l'adolescent le plus agréable qu'il eût jamais rencontré. Quant à Randall, c'était le genre de gars que tout homme aimerait avoir pour ami.

Néanmoins, il y avait un problème. Pour une raison quelconque, c'était *lui* qui ne plaisait pas à Randall Poletti.

Le policier de San Diego était trop courtois pour afficher ouvertement son antipathie, mais Jyce la ressentait jusque dans l'attitude de Dana. Pendant tout le dîner, elle s'était arrangée pour entretenir avec Heidi ou Kevin une conversation animée, parlant trop vite de tout et de rien en évitant soigneusement les sujets personnels, comme pour le défendre d'une éventuelle attaque.

Heidi et Kevin entraient dans le jeu comme s'ils s'étaient concertés, mais Randall se contentait de faire un commentaire évasif ici et là. Finalement, Jyce décida de mettre un terme au supplice de chacun.

— Il est tard, dit-il en entourant de son bras l'épaule de Dana, et il faut encore décharger ta voiture. On devrait peut-être y aller.

— J'allais le proposer, intervint Randall. A cinq, on n'en a pas pour longtemps.

Seul Kevin rechigna.

— Et la partie de golf ?

— Un autre jour, bonhomme. On a tout le week-end pour ça.

Entre-temps, Jyce avait déposé des billets sur la table. Randall les ramassa et les lui rendit.

— C'est moi qui invite, ce soir.

D'un regard, Dana implora Jyce de ne pas argumenter. Il rangea donc ses billets dans son portefeuille.

— Merci, mais souvenez-vous que, demain soir, c'est mon tour.

Ils regagnèrent le parking en silence. Kevin courut devant pour retrouver Furet dans la voiture. Les deux femmes avaient perdu leur bonne humeur, et le climat entre les deux hommes frisait la déclaration de guerre.

En ouvrant la portière du 4x4, Jyce s'aperçut que Dana était au bord des larmes. Il la prit alors dans ses bras, et s'empara de sa bouche au vu de tous.

La suspicion de Randall était probablement due à un malentendu facile à régler. Mais, s'il se trompait, et qu'il s'agît d'une antipathie viscérale, il se battrait pour empêcher les Poletti de le séparer de Dana. Autant qu'ils le sachent tout de suite.

La façon dont elle répondit à son baiser, comme si elle partageait ce besoin d'affirmer leur lien devant ses amis, le combla de bonheur.

Rasséréné, il l'aida à grimper sur le siège, prit sa place au volant, et l'embrassa encore avant de démarrer.

— Je suis désolée, murmura-t-elle. Je n'ai jamais vu Randall se conduire aussi bizarrement. Il a été d'une froideur avec toi…

Jyce adopta un ton léger, de manière à dédramatiser.

— Ça n'a rien d'étonnant, dit-il. Je suis un nouveau venu qui convoite sa grande amie. Il m'observe avant de donner sa bénédiction : c'est logique.

A la sortie du parking, il lui prit la main et la conserva serrée sur sa cuisse.

— Raconte-moi ce qui s'est passé, cet après-midi. Il a dû te poser des questions sur moi ?

— Pire qu'un interrogatoire ! Une véritable inquisition.

— Et il t'a mise en garde ?

— Pas exactement, mais... il dit que j'aurais dû appeler la police quand nous avons découvert la serrure fracturée, et...

Elle s'interrompit un instant.

— Et tu lui as expliqué que tu ne l'avais pas fait parce que j'avais proposé de m'en occuper moi-même ?

— Oui. Et il est presque sorti de ses gonds... Je n'en revenais pas...

Jyce reprit confiance. Les motifs de la froideur de Randall étaient bien ceux qu'il supposait ; par conséquent, la glace pourrait être brisée sans trop de difficultés. D'ailleurs, Jyce ne lui aurait pas accordé beaucoup de crédit en tant qu'officier de police s'il avait réagi différemment.

— Mets-toi à sa place, Dana. Il se préoccupe de ta sécurité. Il s'est battu pour obtenir ton acquittement. Il s'est attaché à toi, et sa femme t'aime comme une sœur. Ses instincts protecteurs sont tout à fait compréhensibles.

Elle tourna la tête vers lui. Il sentit presque physiquement l'impact de son regard.

— Tu es stupéfiant, Jyce. Si seulement Randall te connaissait comme je te connais !

— Donne-lui le temps. Ce n'est que le premier soir.

182

— Mais, justement, ça aurait dû être... une fête. Je me faisais une telle joie de vous réunir ! Maintenant, je préférerais qu'ils ne soient pas venus !

— Allons, tu ne le penses pas.

— Si, sincèrement. Avant leur arrivée j'étais... heureuse. Tout avait l'air de... bien marcher entre nous...

— Dana, rien n'est changé.

— Je... j'espère, bredouilla-t-elle en étouffant un sanglot.

A un feu rouge, Jyce l'attira contre lui et l'embrassa avec une fougue qui les isola du monde.

Ce fut quand la voiture de Randall et quelques autres le dépassèrent en klaxonnant qu'il se décida à redémarrer.

— Es-tu convaincue, maintenant ? demanda-t-il à Dana.

— Woui.

Ses yeux d'aigue-marine rivalisaient de brillance avec les étoiles.

— Jyce, promets-moi de ne pas attacher trop d'importance aux humeurs de Randall.

— La seule chose qui me préoccupe, c'est que tu en souffres.

— Comprends-moi : j'aurais tellement voulu que vous sympathisiez !

— Je le trouve très sympathique.

— N'en rajoute pas pour me faire plaisir ! Même Heidi était déconcertée.

— Ecoute, mon cœur, Randall se méfie de moi, mais je vais avoir une conversation d'homme à homme avec lui et, demain, cette petite fausse note sera oubliée.

Il s'arrêta devant le hall du motel. Randall était garé à côté du 4x4 blanc.

— Allez, va. Je roule devant, eux derrière : tu seras bien entourée, dit-il en souriant.

— A tout de suite, Jyce.

Elle déposa un baiser sur sa joue avant de descendre.

Mais, au même moment, Randall sortit de sa propre voiture.

— Tu permets, je te conduis. Heidi nous suit avec Kevin.

Le fragile optimisme de Dana vacilla. Elle venait de fonder quelques espoirs sur leur conversation « d'homme à homme », mais, apparemment, le rapprochement n'était pas pour tout de suite.

Néanmoins, elle remit docilement ses clés dans la main tendue de Randall. Elle le connaissait : si elle se dérobait, elle ne parviendrait qu'à le braquer davantage contre Jyce.

Toujours galant, il lui ouvrit la portière côté passager avant de s'installer au volant.

— Tu sais combien je t'aime, Dana, combien tu es importante pour moi, dit-il aussitôt qu'ils eurent démarré.

La jeune femme sentit les larmes lui picoter les yeux.

— Oui, je le sais.

— Alors, ne m'en veux pas, mais je dois creuser certaines questions. Mon nez de flic me dit que cette histoire n'est pas tout à fait nette.

Bon sang ! Elle aimait Randall. Elle lui aurait confié sa vie. Sans lui, elle n'aurait *pas* de vie. Si Dana Turner était libre aujourd'hui, c'était grâce à la perspicacité du détective Poletti.

— Pose-moi des questions, dit-elle. Je te répondrai.

— As-tu rencontré des amis de Jyce ?

184

— Non. Ses amis sont à Austin. Je suppose qu'avec son travail, il ne reste jamais assez longtemps dans un secteur pour nouer de véritables amitiés.

— C'est l'un des points qui m'intriguent. Je connais le fonctionnement d'IPS. Pour les remplacements, ils emploient des intérimaires payés à la petite semaine. Je n'ai jamais entendu parler d'un livreur régulier qui renoncerait à son salaire pour redescendre au bas de l'échelle.

Ce discours consternait Dana. Ce n'était pas *son* Randall qui raisonnait avec cette étroitesse d'esprit ! Elle se rebiffa.

— Je t'ai dit qu'à la mort de sa femme, il ne tenait plus en place. Il y a des hommes qui sombrent dans l'alcoolisme ; Jyce a choisi de se dépayser en travaillant. Et si c'est au détriment de son salaire, je trouve son choix encore plus honorable.

Randall ne releva pas.

— Tu sais où il habite, à Alpine ?

— Oui. On s'est donné rendez-vous en bas de chez lui, hier.

— Mais il ne t'a pas proposé de monter ?

— Non. On allait au Terlingua Ranch, et on était tous les deux pressés d'arriver à la piscine.

— Désolé, Dana. Je sais que tu es amoureuse et que je te fais de la peine, mais j'agis dans ton intérêt. Crois-moi, de toute mon âme, j'espère me tromper.

— Te tromper sur quoi, exactement ?

— Pour commencer, Jyce a pris Tony Roberts en stop, et il te l'a amené ?

— Oui. Et il l'a même repris en stop dans l'autre sens quand je l'ai fichu dehors. Il l'a déposé à Fort Davis.

— Je trouve ce hasard surprenant.

Dana sentit les battements de son cœur s'accélérer.

— Tu crois qu'ils… se connaissaient ? demanda-t-elle d'une voix blanche.

— Ce n'est pas inconcevable. Tony a déjà prouvé ce dont il était capable. Il a très bien pu élaborer une sorte de vengeance contre ton père et toi, en complicité avec Jyce. Tu es très belle, Dana. Une mission qui consisterait à te séduire ne serait pas désagréable à assumer.

— Non !… Pas Jyce… C'est… c'est impossible…

Randall lui pressa l'épaule un court instant.

— Ça me désespère autant que toi, mais il faut envisager cette hypothèse. As-tu une preuve formelle que Jyce vient d'Austin et pas de Californie ?

Elle crispa les paupières.

— Non. Tout ce que je sais de lui, c'est ce qu'il m'a dit. Et je l'ai cru parce que… parce qu'il ne m'a donné aucune raison d'en douter.

— Tu ne t'es pas étonnée qu'il te déconseille d'appeler la police, alors que Glen te harcelait ?

Elle secoua la tête. Seigneur ! Elle avait accordé une telle confiance à Jyce !

— Et tu n'as aucune preuve que le pneu de sa fourgonnette ait réellement été crevé, poursuivit Randall sans y mettre d'interrogation. Ni que Glen ait rôdé autour de la caravane pendant ton absence. Mais Jyce y rôdait lui-même : il s'est trahi en te le disant. Pour ce que nous en savons, Glen n'est qu'un pauvre gamin solitaire qui est fou amoureux de toi. Un bouc émissaire, sans vouloir faire de jeu de mots. Il est facile de détourner les soupçons sur lui.

Dana se moquait du jeu de mots et du bouc de Glen. Elle se sentait nauséeuse.

— Tu… tu crois que… Jyce m'a séduite pour me laisser tomber après et… que j'en souffre jusqu'à la dégringolade ? Ce serait ça, la vengeance de Tony ?

Randall poussa un long soupir.

— Ce serait un moindre mal, Dana. Jyce t'a-t-il donné l'impression de s'intéresser à ton travail ?

— Ah non, pas ça ! s'écria-t-elle en se massant le front. Non ! Non, Jyce ne connaît absolument rien à l'astronomie.

— Feindre d'ignorer un sujet que l'on connaît est moins difficile que le contraire, murmura Randall. Essaie de te souvenir. Comment s'est-il comporté, la première fois que tu l'as emmené à l'observatoire ?

Elle eut l'impression qu'un poignard la transperçait, et les larmes lui montèrent aux yeux, tandis qu'en pensée, elle voyait le puzzle se reconstituer. C'était un cauchemar.

— J-je ne l'ai pas emmené à l'observatoire. C'est lui qui est venu. Le lendemain de la visite de Tony, je l'ai rencontré sur le chemin… Il allait livrer un paquet chez un client… Plus tard, il m'a avoué qu'en fait, il me cherchait parce qu'il s'était inquiété de ne pas me trouver à la caravane… La fois suivante, je rentrais de week-end, et… sa voiture est arrivée par la piste de Big Bend… juste en même temps que la mienne…

Elle ravala un sanglot.

— Oh non… Sur le moment, quelque chose m'a frappée… J'avais oublié…

Ils approchaient de Cloud Rim. Randall la pressa :

— Quoi, Dana ? Dis-moi.

— On était devant l'observatoire, et il m'a demandé quelle était ma profession. J'étais sidérée que Tony ne le lui ait pas dit… Oh, Randall ! Si Jyce est un manipulateur, que vais-je faire ? Je t'en supplie, aide-moi…

— En premier lieu, l'as-tu déjà laissé seul à l'observatoire ?

Elle frémit. Hier soir, elle l'avait chargé de rassembler ses affaires pendant qu'elle prenait sa douche.

— Non, dit-elle en réfléchissant tout haut. Il n'aurait pas eu le temps d'entrer dans mon bureau et de consulter les fichiers informatiques...

Elle revit les images de leur soirée à la belle étoile, et se mordit la lèvre pour ne pas sangloter.

— Après toutes les trahisons que j'ai subies dans ma vie, si Jyce s'est moqué de moi, je ne m'en remettrai jamais.

— Si, tu t'en remettras. Parce que tu as traversé pire, justement, et que tu en es sortie entière. De toute façon, quoi qu'il advienne, on sera avec toi. Cela dit, il ne faut présumer de rien. Même si toutes les apparences sont contre Jyce, je peux me tromper.

Dana secoua tristement la tête.

— Tu ne te trompes jamais.

— Ne crois pas ça ! Je ne suis pas infaillible. Et, précisément parce qu'il s'agit de toi, je risque de me fourvoyer en voyant le mal partout.

Ils arrivaient à la quincaillerie. Jyce se rangea sur le côté pour laisser le 4x4 stationner devant le garage.

Randall donna ses dernières consignes à Dana :

— Je me renseigne dès ce soir, et je t'appelle pour que tu saches à quoi t'en tenir. En attendant, montre-toi aussi naturelle que possible.

Comme si c'était facile !

Jyce apporta le carton de vaisselle dans la cuisine où Heidi s'occupait du rangement.

— Livraison du dernier convoi, annonça-t-il.

— Vous plaisantez ?

— Hé, à nous cinq, c'était rapide. Voulez-vous un coup de main, ici ?

— Non, merci : j'ai presque terminé.

— Bon, je vais proposer mes services à côté.

Depuis leur arrivée, Dana semblait éviter de se retrouver en tête à tête avec lui. Elle souriait quand elle le croisait, elle lui lançait un mot gentil, bref, elle le traitait comme elle traitait Kevin, et certainement pas comme l'homme avec qui elle avait passé la nuit précédente.

Son ami Randall avait réussi à l'endoctriner. Loin d'être stupide, le détective n'avait eu qu'à additionner deux et deux pour conclure que la somme ne faisait pas quatre. Et, bien sûr, entre Fort Davis et Cloud Rim, il en avait fait à Dana une démonstration limpide.

Mais Jyce ne manquait pas de perspicacité, lui non plus, et il sentait bien que Poletti n'attendrait pas demain pour mener sa petite enquête personnelle, au risque de faire échouer toute l'opération en cours. A sa place, Jyce aurait commencé par aller discuter avec Ralph et Glen Mason. Il voyait poindre la catastrophe s'il n'intervenait pas immédiatement.

Il traversa le salon. Randall et Kevin faisaient le lit dans la chambre. Dana disposait ses objets de toilette dans la salle de bains. Jyce la rejoignit.

— Ta voiture est vidée.

— Oh, déjà ? lança-t-elle en minaudant, sans lui accorder un regard. Vous êtes des champions !

Jyce haussa la voix de façon à être entendu de la chambre.

— Je voudrais passer à la caravane faire une dernière inspection. Tu me dis où sont tes clés ?

La réaction de Randall ne se fit pas attendre.

— Je vous accompagne.

Dana fut incapable de cacher sa nervosité.

— Euh… Elles sont pendues à un crochet de la cuisine, bredouilla-t-elle d'une voix pleine d'angoisse.

Jyce la prit dans ses bras, et déposa un baiser à la base de son cou.

— Détends-toi. Je t'ai promis que tout allait s'arranger.

Il était malheureux de sentir son corps se contracter quand il la touchait. Mais il savait que, dans une heure, tout serait arrangé.

— Je peux venir avec vous ? demanda Kevin d'un ton incertain.

— On ne fait qu'un aller-retour, mon grand. On revient tout de suite.

Dans la cuisine, Randall étreignit brièvement sa femme qui paraissait aussi accablée que Dana.

Ils prirent la voiture de Jyce, et traversèrent la moitié du village en silence avant que le détective lançât sa première remarque.

— Livreur itinérant ? Ça doit être une gageure d'apprendre à connaître toutes ces routes en si peu de temps.

— Hmm.

Jyce attendait le moment de montrer patte blanche pour entamer un véritable dialogue, mais son acolyte semblait impatient d'en découdre.

— Pas facile non plus de créer des liens, reprit-il.

— Ça ne m'a pas manqué, jusqu'ici.

— Ah ! Seulement, voilà : vous avez rencontré Dana et, maintenant, tout est différent, c'est ça ?

Sa voix était nettement sarcastique. Jyce était secrètement ravi qu'elle eût un ami de cette trempe.

— Oui, j'ai rencontré Dana, dit-il. Et j'ai l'intention de vous en parler.

190

Le silence retomba jusqu'à leur arrivée à la caravane. Dana n'avait pas laissé de lampe allumée. Glen n'allait pas tarder à découvrir qu'elle avait déménagé. Quelle sorte de folie meurtrière cela pourrait-il déclencher ?

En descendant de voiture, Jyce prit l'étui qui se trouvait sous son tapis de sol, et alla ouvrir la porte.

— Après vous, marmonna Randall.

Jyce le précéda, alluma, et se tourna vers lui, impatient de mettre les choses au point.

— Je lis dans vos pensées, détective Poletti. Vous sentez du louche, et vous n'avez pas tort.

Il sortit de l'étui son identification officielle et son insigne, puis les lui tendit. Quand Randall les prit, son visage se métamorphosa. Il examina rapidement les documents, puis leva les yeux.

Les deux hommes se regardèrent. Tout avait changé.

Jyce risqua même un sourire.

— Si nous reprenions les présentations à partir de zéro ? Capitaine Jyce Riley des Texas rangers, basé à Austin.

Randall lui serra chaleureusement la main.

— Nom d'un chien, quelle angoisse vous m'avez causée !

Leurs sentiments respectifs pour Dana ajoutés à la solidarité liée à leur fonction de policier créa entre eux une camaraderie instantanée et presque tangible.

— Vous débarquez au milieu d'une chasse à l'homme. Je suis en mission. Je cours après deux braqueurs, dont l'un pourrait bien être Glen Mason.

Randall poussa un grognement.

— Je n'ose pas te dire quel scénario j'ai échafaudé ! Je suis allé jusqu'à imaginer que tu étais de mèche avec Tony Roberts. Et l'ânerie suprême, c'est que j'ai confié mes soupçons à Dana. Quel abruti !

Jyce se mit à rire franchement.

— Eh bien, moi, figure-toi, j'ai pensé un moment que Roberts était l'un des tueurs. Quand Dana l'a invité à entrer, j'ai eu des visions d'assassinat, et quand je me suis aperçu qu'elle n'était plus là, j'ai crocheté sa serrure : je m'attendais à trouver de l'hémoglobine sur la moquette.

Randall grimaça.

— L'habitude de côtoyer l'horreur…

Jyce rangea l'étui dans sa poche.

— Si on s'asseyait ?

Randall prit le fauteuil en face du canapé. Ils se dévisagèrent encore un moment. D'une certaine façon, le quiproquo du début les rapprochait, comme deux flics qui ont déjà une expérience commune à leur actif.

Jyce répondit à la question qui restait suspendue dans l'air.

— Oui, je suis amoureux de Dana. A la mort de Cassie, je n'aurais jamais cru pouvoir aimer un jour une autre femme. Et puis…

Il regarda ses mains.

— Aujourd'hui, j'ai retiré l'alliance que je portais à la main droite depuis sept ans.

Randall enregistra avec un sourire satisfait.

— Seulement, poursuivit Jyce, tant que je suis obligé de lui mentir sur mon métier, je ne peux pas lui déclarer ma flamme.

Randall haussa les épaules.

— L'histoire classique ! J'ai des amis, Gaby et Max, qui sont passés par là. Il la soupçonnait d'appartenir au gang qu'il était en train d'infiltrer, et elle le prenait pour un immigré russe, alors qu'il était agent du FBI. Leur idylle a été un enfer, mais je te jure que leur mariage est paradisiaque.

— Merci pour les encouragements. Mais je crains de rencontrer d'autres obstacles avec Dana.

— Hum ?

— D'abord, je suis stérile. Quand je le lui ai dit, elle n'a pas semblé catastrophée. Mais j'ai eu l'occasion de la voir avec des enfants, et j'étais là quand Heidi lui a appris la bonne nouvelle pour vous deux : j'ai vu son bonheur...

— D'après ce que je sais, Dana a toujours désiré adopter. Et si, un jour, vous aviez tous les deux envie de concevoir des enfants, il existe des techniques scientifiques. Tu serais contre ?

— Non, pas du tout.

— Alors, oublie cet obstacle-là. Quels sont les autres ?

— L'Autre. Avec un grand A. L'uniforme de ranger.

Randall balaya l'objection d'un geste de la main.

— Laisse tomber. Parle-moi de ton affaire.

Jyce se pencha, les mains jointes entre ses genoux écartés.

— J'aurais bien besoin de ton avis, justement.

En dressant le topo de la situation, Jyce ne s'étonna pas de voir Randall blêmir.

— Voilà, conclut-il, un quart d'heure plus tard. C'est une course contre la montre. Si je n'ai rien de concret dimanche soir, ma mission se terminera en queue de poisson. Les deux salopards seront coffrés pour voyeurisme : une bagatelle, d'autant que nous n'avons pas d'empreintes sur la caméra.

Randall se frotta le visage, puis se leva.

— Je vais avec toi, ce soir. Il faut absolument qu'on trouve cet avion, que tu puisses épingler ces types et faire une perquise chez eux pour récupérer cette cassette.

— Tu es en vacances, lui rappela Jyce. Ta femme et ton fils espèrent profiter d'un week-end entier avec toi.

— Ma famille, c'est aussi Dana, coupa Randall. Et je suis malade à l'idée que ce film est entre les mains de ces pervers.

Jyce hocha la tête. Il savait exactement ce que Randall ressentait. Il ne pouvait pas refuser son aide ; leur collaboration allait de soi.

Ils vérifièrent que rien n'avait été oublié dans les tiroirs et les placards. Puis, après s'être concertés, ils décidèrent de laisser une lumière allumée en partant, histoire de jouer avec les nerfs de Glen Mason.

Le papy dormait devant la télé allumée. Ça marchait parfaitement, le somnifère dans la tisane. Glen l'avait essayé la veille pour la première fois. Ce matin, il avait eu un peu peur que le vieux se réveille pas, mais tout s'était bien passé. S'il avait su plus tôt, il se serait pas gêné, et il aurait eu la paix. Ce soir, il avait pas forcé la dose. Si le vieux se réveillait pas, c'était plus son problème.

Glen mettait les voiles.

Il entra dans la chambre — sur la pointe des pieds, quand même —, et il essaya de pas faire grincer les gonds quand il ouvrit le bahut. Il en retira le fusil de chasse, et il rafla les munitions dans le troisième tiroir de la commode.

La lumière s'était allumée chez Dana. Son type l'avait déposée, et il était reparti. Elle avait dû laisser sa bagnole là-haut, à l'observatoire. Hier soir, quand Glen était rentré, la lumière y était, mais il avait paniqué quand il avait pas vu de bagnole. C'était à ce moment-là qu'il avait eu l'idée du somnifère dans la tisane : pour pouvoir se carapater sans entendre la voix de papy qui chevrotait : « Où tu vas, Glen ? »

Pour pas se faire repérer, il y était monté à pied, à l'observatoire. Et là, comme de juste, il était tombé sur les deux bagnoles. Dommage : Glen avait pas son couteau, sinon les huit pneus y passaient ! Le vieux pouvait la prendre pour une sainte, Dana, mais la vérité, c'est qu'elle faisait pas qu'y travailler, à l'observatoire ! Elle s'envoyait au ciel là-dedans avec son livreur d'IPS !

Eh bien, si elle était encore avec lui ce soir, elle pouvait lui dire adieu, à son livreur.

« Et adieu, papy ! » chantonna-t-il en grimpant dans le pick-up que grand-père ne reverrait plus.

Glen avait emporté tout ce qu'il fallait pour tenir dans la grange jusqu'au grand départ. Ils auraient le confort comme à la maison : glacière, eau, vivres, lampes torches et lampes à gaz… Il lui manquait plus que Dana.

En s'arrêtant devant la caravane, il fit vrombir le moteur — histoire de donner les chocottes à la belle pour qu'après, elle soit docile. Première mise en condition. La deuxième…

Il prit la carabine. Pas besoin d'outils, ce soir. Il allait se faire un carton. La pulvériser, leur serrure neuve ! Il ajusta minutieusement son tir. *Et pan !* En plein dans le mille ! Avec une cartouche à gros gibier, la porte était sortie de ses gonds. Mais Dana, elle, elle avait du cran : elle avait même pas crié !

Glen avait quand même un rouleau de scotch dans sa poche, pour la bâillonner, et le cordon pour la ligoter, dans l'autre.

Il poussa la porte avec fracas, et surgit avec sa Winchester comme dans un western… Le fusil lui tomba des mains.

La caravane était vide !

Il ne servait à rien de se ruer comme un fou d'une pièce à l'autre, d'arracher les tiroirs et de tout saccager, mais Glen ne s'en priva pas.

La garce avait déménagé !

A tous les coups, elle était partie s'installer chez le livreur ! Et qu'est-ce qu'ils croyaient ? Que Glen allait les laisser filer ?

Après s'être défoulé sur le mobilier, il remonta dans le pick-up, décapsula une bière, et réfléchit.

Y devait pas habiter très loin, le guignol. Fort Davis, probablement.

Demain, Glen se ferait porter pâle chez Jorgenson. Il se pointerait au siège d'IPS à 6 heures du mat, et il suivrait la fourgonnette partout. Ce serait bien le diable si le livreur faisait pas un détour par chez lui dans la journée pour bécoter le museau de Dana. Et, à partir de là, Glen saurait où la trouver.

Il l'emmènerait. Avec ou sans Lewis, il l'emmènerait. Il allait pas se laisser gâcher la vie par Lewis, quand même !

Ragaillardi, Glen rentra se coucher au ranch.

11.

— Maman ?

— Dana, chérie…

— Je ne te réveille pas ?

— Mais non ! Je regarde un film ; ton père n'est pas encore rentré du mont Palomar. Heidi et Randall sont bien arrivés ?

— Oui, vers midi. Quel plaisir de les voir ! Merci pour les brownies. Si tu savais comme les saveurs de la maison me manquent ! J'en ai déjà dévoré cinq.

— J'en suis ravie. D'autant plus que tu as besoin de te remplumer.

— Oh, tu pourrais bien être étonnée, la prochaine fois que tu me verras ! Je grossis plus vite que je ne voudrais… Bon, maman, je t'appelle pour vous annoncer que j'ai déménagé : j'ai trouvé un appartement dans le village.

— Quelle chance ! Nous étions tellement inquiets de te savoir dans cette caravane isolée, avec ce garçon qui t'empoisonnait l'existence, d'après ce que nous disait Heidi !

Dana frissonna de dégoût à cette simple évocation de Glen.

— Il ne m'importunera plus, maman. Mes amis m'ont installée en un rien de temps dans mes nouveaux quartiers, à l'autre bout de Cloud Rim. Je ne suis plus isolée :

c'est dans le ranch des Watkins ; les propriétaires habitent juste au-dessus.

— Les quincailliers ? Oh, c'est amusant. Dis-leur bonjour de notre part.

— Je n'y manquerai pas. Ils sont adorables. Kevin est chez eux avec Furet, en ce moment : ils l'ont invité à jouer sur la Playstation qu'ils ont achetée pour leurs petits-enfants.

— Je le connais très bien, ce ranch. Ce n'étaient pas les Watkins, quand j'étais petite ; c'était une famille avec deux filles de notre âge. J'allais y jouer, avec Millie… Tiens, à propos, il y avait un ancien sentier muletier, derrière, qui rejoint le chemin de l'observatoire sur les hauteurs…

Dana entendit des voix dans l'entrée. Jyce et Randall revenaient.

— … Tu devrais pouvoir le prendre avec ton tout-terrain. Ça t'éviterait de traverser le village, chaque fois que tu veux rejoindre la route de Mason pour monter là-haut.

Dana n'écoutait que distraitement.

— Randall et Jyce viennent de rentrer, maman. Ils étaient partis vérifier si je n'avais rien oublié. Il faut que je te laisse : je ne veux pas retarder nos amis. Heidi a besoin de sommeil, comme tu le sais.

— Oh oui ! Quel bonheur ! Bon, je ne te retiens pas. Ça va, avec Jyce ?

— Oui. Je te rappelle demain, maman. Bisous. Embrasse papa.

— Compte sur moi. Bonne nuit, chérie.

En raccrochant, Dana était moins pressée qu'elle ne le disait de rejoindre les deux hommes dans le salon. Les dés seraient jetés à la minute où elle verrait le visage de Randall. Elle n'osait pas fonder d'espoirs sur ce fameux entretien d'homme à homme qui, d'après Jyce, devait dissiper les soupçons. Même s'il était assez intelligent pour naviguer dans le mensonge, Jyce ne connaissait pas le flair redoutable du détective Poletti.

« Je peux me tromper. Je ne suis pas infaillible. »

« Oh, mon Dieu, faites qu'il se soit trompé ! »

— Dana ! Tu téléphones toujours ?

Une Heidi tout émoustillée fit irruption dans la chambre.

— Viens vite ! chuchota-t-elle. C'est incroyable ! Je ne sais pas ce qui s'est passé : ils se tutoient !

Elles se regardèrent, leurs yeux rivalisant d'étincelles. Puis Dana s'envola pour rejoindre les deux hommes.

Ils l'attendaient sans se parler, mais le changement de climat était presque palpable.

Dans le sourire de Jyce , elle lut un merveilleux message de paix. Randall, quant à lui, arborait une mine contrite.

— Dana, je te dois d'énormes excuses.

Etait-elle en train de rêver ? Randall lui présentait des excuses *devant* Jyce ?

Craignant de trahir sa fébrilité, elle les toisa l'un et l'autre d'un petit air mutin.

— Je n'en ai jamais douté, dit-elle. Mais j'exige des aveux circonstanciés, détective Poletti.

— C'est prévu. Assieds-toi, Dana.

Heidi les rejoignit, et elles se lovèrent sur le canapé comme deux gamines impatientes de suivre le prochain épisode de leur feuilleton préféré.

Les hommes prirent le temps de savourer ce spectacle charmant, puis Randall se décida enfin à prendre la parole.

— En te disant que je pouvais me tromper, commença-t-il, je n'imaginais pas à quel point. Heureusement, Jyce a deviné mes inquiétudes et m'a fourni des explications avant que je me ridiculise en l'interrogeant. En réalité, c'est pour t'éviter de revivre de mauvais souvenirs qu'il t'a dissuadée d'appeler la police...

Dana et Jyce ne se quittaient pas des yeux.

— ... Jyce n'a rien à voir avec Tony Roberts. En revanche, il en savait plus que nous sur Glen Mason. Quand il a porté plainte pour la dégradation de son véhicule, on lui a dit que Glen était un petit truand sous surveillance. Comme l'affaire m'intéresse, nous allons passer au commissariat d'Alpine, ce soir : j'obtiendrai plus de renseignements que lui.

Dana et Heidi, qui se tenaient les mains, ressentirent toutes deux la même déception : les hommes allaient les lâcher pour la soirée...

Randall lança à Heidi un regard contenant un message d'amour. Puis il se leva en tendant les bras à Dana avec une grimace d'excuse.

— Je suis navré de t'avoir causé ces angoisses. Ce sont mes sentiments pour toi qui m'ont aveuglé. Tu me pardonnes ?

Elle se jeta spontanément dans ses bras. Elle avait eu si peur, et elle était si heureuse que les deux hommes de son cœur eussent finalement sympathisé !

— Bien sûr que je te pardonne ! Je suis heureuse que tu veilles aussi bien sur moi.

Heidi se joignit à l'accolade, puis elle dit à son mari :

— Si on montait chercher Kevin, chéri ?

Et ils s'éclipsèrent, laissant Jyce et Dana en tête à tête.

A l'instant même, ils s'étreignirent.

— Enfin, murmura Jyce, je te retrouve, douce et tendre...

Elle lui tendit ses lèvres.

Quand ils s'embrassèrent, Dana eut l'impression de retrouver toute son énergie vitale. Le bouleversement créé par Randall était passé, mais ses effets persistaient. Elle sentait ses émotions à fleur de peau : elle voulait Jyce, et peu lui importait d'aller trop loin et trop vite. Elle l'aimait. Elle voulait qu'il l'aime et qu'il le lui dise, ce soir, cette nuit.

— Dana...

Il se détacha de sa bouche, le souffle rauque.

— Je dois descendre à Alpine avec Randall...

— Je sais, murmura-t-elle en luttant de toutes ses forces pour ne pas s'agripper à lui.

— J'adorerais, pourtant, rester avec toi...

Elle serra les lèvres. Il lui souleva le menton.

— Tu ne me réponds pas que tu le sais ?

« Si tu me désires, dis-moi que tu me rejoindras dans ma chambre, après votre visite au commissariat. Propose-le, je t'en supplie... »

— Ecoute... Demain, je vais expédier ma tournée le plus vite possible. Après, on aura tout le week-end pour nous.

Et, sur un dernier baiser sauvage, il la quitta.

— Ferme à clé derrière moi.

Elle hocha la tête.

— Je t'appelle demain.

Quand les deux voitures eurent démarré, Dana éteignit les lumières du salon, et se prépara à passer sa première nuit dans son nouvel appartement, seule et le cœur gros.

Elle ne doutait pas que Jyce éprouvât une attirance pour elle, mais il trouvait toujours une raison pour s'éloigner. Ce soir, elle avait espéré...

On aurait dit qu'il s'appliquait à vivre le moment présent sans un regard pour l'avenir. Un homme qui fuyait tout engagement depuis sept ans...

Etait-elle trop pressée ? Avait-elle perdu toute patience, en prison ?

« Si tu ne te contrôles pas, ma fille, c'est Jyce que tu vas perdre. »

Une femme qui suppliait ruinait ses meilleures chances d'obtenir ce qu'elle voulait.

En attendant dans sa voiture, sur le parking du Ponderosa, Jyce grillait d'impatience de raconter la dernière à Randall.

Avec Dana comme catalyseur, il sentait naître entre eux une authentique amitié. La mort de Gibb Barton l'avait privé de son meilleur ami, et Randall lui tombait du ciel comme un cadeau. Jyce ne pouvait s'empêcher de penser que, de là-haut, son vieux copain continuait à veiller sur lui.

Son attente ne fut pas longue. Moins d'un quart d'heure plus tard, Randall sortait du motel en jean et T-shirt, sa veste sur l'épaule.

— J'ai la permission de nuit, annonça-t-il en grimpant dans le tout-terrain. J'ai dit à Heidi que tu avais besoin de parler de Dana et qu'après le commissariat, on irait faire un feu de camp entre hommes, dans la montagne.

Jyce démarra.

— Tu as une femme bigrement compréhensive.

— Oh, à force de vivre avec un flic, elle a appris à lire entre les lignes. Elle m'a embrassé et m'a souhaité bon vent.

— Je l'admire. Ça ne doit pas être facile à accepter, un mari qui est obligé de garder certaines choses secrètes. Les épouses de mes collègues…

— N'extrapole pas, Jyce. Il est vrai que toutes les femmes ne sont pas prêtes à supporter ce genre de vie, mais ça ne pose pas de problème à celles qui nous aiment vraiment. Et, d'après ce que j'ai pu voir, Dana est folle de toi.

— Hum. Tu as raison : je voudrais les réponses à des questions que je n'ai pas encore posées… Passons à autre chose : je viens d'appeler Pat. Mason est en train de péter les plombs.

— Il s'est aperçu que Dana avait déménagé ?

— Oui. Mais, pour ça, il a fallu qu'il fasse sauter la serrure avec un gros calibre.

Randall lâcha un juron.

— Dana aurait très bien pu se trouver dans la caravane : on avait laissé la lumière… Bon sang, heureusement qu'on a réagi à temps ! Qu'est-ce qu'il préparait, ce fumier ?

— Ça devient trop dangereux pour elle, Randall. Je vais m'arranger pour l'éloigner d'ici pendant…

— Ne t'en mêle pas, malheureux ! Je m'en charge.

Jyce jeta un coup d'œil à son ami.

— Pourquoi ?

— Ce serait mal interprété. Hé, tu as des craintes, mais elle nourrit aussi sa petite paranoïa sur ton compte.

— Du genre ?

— Elle a raconté à Heidi une histoire d'astéroïde frôleur. Ça te dit quelque chose ?

Jyce ne répondit pas tout de suite. Randall leva les mains.

— Envoie-moi paître si je touche un point névralgique.

— Non, je suis content que tu m'en parles. Apparemment, je ne suis pas arrivé à la convaincre que j'étais guéri…

— De la perte de Cassie ?

— Oui. Sincèrement, le temps a accompli son œuvre, et Dana se fait de fausses idées. Sous prétexte que je suis resté seul pendant sept ans, elle s'imagine que je suis inconsolable.

— Personnellement, il m'a fallu dix ans pour me remettre de mon divorce. Je dirai à Heidi de lui expliquer que ce n'est pas une question de temps. Il faut juste rencontrer la bonne partenaire. La femme qu'il nous faut. Et ça n'est pas si fréquent. Certains ne la rencontrent jamais…

— C'est vrai. Quand j'y pense… Je venais livrer un paquet à une inconnue que j'imaginais plus ou moins dans le style de Tony Roberts. Et je vois surgir cette créature d'une beauté irréelle, avec un air terrifié qui me donne aussitôt envie de la prendre dans mes bras pour la cajoler.

Randall se mit à rire.

— C'est à peu près la même chose pour moi. J'allais donner des cours de criminologie qui me barbaient d'avance pour dépanner un ami. Et qui je vois apparaître ? Cette splendide rousse en total désarroi, qui vient s'inscrire en surnombre, avec la quasi-certitude d'être refoulée. Deux jours plus tard, elle me suppliait de réétudier le dossier Dana Turner.

— Leur amitié est extraordinaire.

— Oui. Elles se comportent un peu comme des jumelles. Elles sont nées à quelques jours d'intervalle, dans des maisons voisines, et leurs familles étaient liées. Elles ont presque été élevées ensemble.

— Et Mary ? La sœur de Dana ?

— Elle avait dix ans de moins. D'après ce que je sais, c'était leur poupée. Elles s'adoraient, toutes les trois. Jusqu'à ces dernières années, où Mary est devenue caractérielle… Une tumeur au cerveau que son psy n'a pas décelée.

— Oui, Dana m'en a parlé.

Jyce gagna le parking des visiteurs pour voir si la jeep du garde forestier était là.

— Demain matin, est-ce que tu pourrais l'accompagner chez Ralph Mason avant qu'elle ait l'idée d'y aller toute seule ? demanda-t-il à Randall.

— J'y pensais, justement. Je vais aussi leur proposer de les emmener passer la fin du week-end à Bing Bend Park. Kevin va sauter de joie, et les femmes aussi. Tu verras : en deux nuits, on aura trouvé cet avion. Tu pourras boucler ton affaire sans plus te tracasser pour la sécurité de Dana.

Quand il eut vérifié la présence de la jeep, Jyce revint se garer à sa place de résident. Il allait devoir s'inventer un empêchement pour ne pas se joindre à eux. C'était un crève-cœur, mais c'était la meilleure solution.

— Il faut qu'elle soit rentrée dimanche après-midi, rappela-t-il à Randall. Je veux tout lui avouer sur mon métier avant de partir pour Austin… Ce qui me tracasse, c'est l'idée de devoir partir juste après lui avoir parlé.

Randall lui tapa sur l'épaule.

— Vous vous organiserez, Jyce. Des millions de couples sont obligés de composer avec leurs métiers respectifs.

— Mouais… Tu montes nous faire du café pendant que je me change ? Tu pourras commencer à étudier la zone sur les cartes d'état-major.

— Qu'est-ce qu'ils sont bons, les beignets, p'pa !

— Mon omelette n'est pas mauvaise non plus, fit remarquer Randall, qui se réjouissait surtout de l'appétit de sa femme.

Heidi finissait gaillardement son troisième méga-pancake aux myrtilles.

Dana aussi était ravie de la voir manger comme ça.

Ils lui avaient fait la surprise de sonner chez elle à 8 heures du matin pour l'inviter à prendre le petit déjeuner au village.

Millie, prévenue qu'elle avait affaire à une future maman, servait chaque fois double ration. Elle accourut à leur table, dès la dernière bouchée avalée.

— Un autre ? proposa-t-elle avec un large sourire. C'est la maison qui vous l'offre.

Heidi leva les yeux sans ciller.

— Non, merci. C'est gentil, mais je crois que j'ai terminé.

Devant l'éclat de rire général, la jolie rouquine s'empourpra.

— Bon, j'aurais peut-être besoin d'une petite promenade digestive, suggéra-t-elle d'un ton candide. Kevin, ça te dirait de flâner avec Furet, pour voir l'installation des stands ?

C'était le week-end de la grande foire d'été, et Cloud Rim était déjà en effervescence.

— Oh ouais ! Hein, p'a ?

— Vous savez quoi ? Puisque nous sommes là, j'aimerais en profiter pour passer chez Ralph Mason avec Dana afin qu'elle lui règle ce qu'elle lui doit.

Dana ne protesta que faiblement.

— J'ai déjà abusé de vous, hier : vous êtes en vacances...

— Ça ne prendra qu'une demi-heure, affirma Heidi, et je ne veux pas que tu retournes là-bas toute seule, au risque de tomber sur Glen.

— Je n'en ai pas envie non plus, reconnut la jeune femme. Merci, Randall.

Il se leva, et laissa un généreux pourboire sur la table.

— Rendez-vous place de la Mairie ! Et ne traînez pas trop du côté de la supérette !

— Pas de problème : toutes les courses sont faites ! lança Heidi.

— Vous n'exagérez pas un peu ? demanda Dana, une fois installée dans la voiture.

Elle vit les doigts de Randall se crisper sur le volant.

— J'ai quelque chose à te dire, Dana. Jyce n'en a pas parlé, hier, pour ne pas te gâcher ta journée, mais il est allé bavarder avec le vieux Ralph…

— Les fleurs ! s'écria-t-elle. J'ai oublié de rappeler Cathy…

— Le bouquet a, effectivement, été livré, confirma Randall, mais ce n'est pas le plus grave. Tu vas avoir une situation délicate à gérer… Surtout, ne t'affole pas.

— De quoi pourrais-je m'affoler avec toi ?

— Tu tiens le choc ? Glen a raconté à son grand-père que vous sortiez ensemble.

— Quoi ?

Randall grimaça.

— Le pire, c'est que le vieux y croit. Jyce n'a pas eu le cœur de le détromper. Nous en avons discuté, hier soir, et je pense, moi aussi, que nous ne devrions pas briser ses rêves.

Il étendit le bras pour lui presser la main.

— On ne veut pas diriger ta vie, Dana : on veut simplement te protéger. On craint que Glen se déchaîne contre toi si son grand-père se fâche en apprenant la vérité.

Dana était atterrée, mais, en même temps, elle mesurait le degré de confiance qui s'était instauré entre Jyce et Randall. A côté de ce bonheur-là, les nuisances provoquées par Glen Mason n'étaient rien. Par contre, elle était navrée pour le pauvre grand-père.

— Après tout, c'est leur problème, dit-elle résolument. Vous avez raison : je préfère me retirer sans faire de vagues.

Mais son courage vacilla aussitôt, car la voiture s'arrêtait devant le ranch.

— Ça ne va pas être facile… Je vais avoir besoin de ton soutien.

— Je suis là.

— Merci, Randall.

— Et merci Jyce, ajouta-t-il avec un clin d'œil encourageant.

Grands dieux, quelle comédie allait-elle devoir jouer ? Dana se sentait déjà morte de honte quand Ralph Mason cria « Qui est là ? » à son coup de sonnette.

— C'est Dana Turner, votre locataire.

Le toc-toc sourd du déambulateur lui donna deux minutes pour se composer une expression.

— Dana. Quelle heureuse surprise ! J'espérais votre visite depuis si longtemps. Entrez.

— Mon ami Randall m'a accompagnée. Vous le connaissez déjà : il est venu m'aider à emménager.

— Je me souviens. Entrez, Randall…

Ils le suivirent à petits pas dans le salon. La pièce était propre et bien rangée, mais sombre et confinée — étouffante pour Dana.

Le vieil homme leur désigna les fauteuils, et s'installa laborieusement dans le canapé.

— Puis-je vous offrir à boire ? Il y a des sodas et des jus de fruits. Si vous voulez bien faire le service, Dana, vous êtes ici chez vous.

— C'est très aimable, intervint Randall, mais nous ne pouvons pas rester longtemps : ma femme et mon fils nous attendent.

Dana se sentit au supplice en constatant que le gentil grand-père la contemplait d'un air attendri.

— Je demande tous les jours à Glen de vous inviter, mais il dit que vous êtes très absorbée par votre travail à l'observatoire.

— Oui, je prépare mon doctorat. Ça me prend beaucoup de temps.

— Glen ne parle que de vous, vous savez ? Vous exercez une si bonne influence sur lui ! Je ne cesse de l'encourager à se montrer digne de vous. Je lui répète souvent que vous êtes une jeune femme distinguée, comme sa grand-mère.

— Merci, monsieur Mason.

Elle lança à Randall un signal de détresse.

— Dana ne se contente pas de préparer ses examens, monsieur Mason : elle dirige aussi l'observatoire à la place son père. Maintenant, elle arrive au stade où elle va être obligée de recevoir du monde : ses collègues de CalTech, des astronomes, des gens importants…

Ralph hocha la tête avec un doux sourire.

— Vous quittez ma caravane, n'est-ce pas ?

L'âge n'avait en rien entamé sa perspicacité.

— J'ai toujours su que ce n'était pas une solution pour vous… Mais ce petit cachottier de Glen, ajouta-t-il en agitant son index courbé d'arthrite, il ne m'a prévenu de rien. C'est lui qui vous a trouvé un nouveau nid ?

— Euh… Non, c'est moi qui l'ai trouvé… Un appartement plus grand, en ville, bredouilla-t-elle en sortant son chéquier à la hâte. Je viens vous payer le préavis de rupture de bail…

— Tss-tss, pas de ça entre nous, voyons !… Vous allez me manquer, Dana, mais je suis content que vous vous installiez dans un endroit plus confortable, le temps d'entreprendre les travaux dans la grange.

Dana ouvrit de grands yeux stupéfaits. Elle n'aspirait qu'à s'échapper d'ici au plus vite.

— Les bons comptes font les bons amis, monsieur Mason, déclara-t-elle en remplissant le chèque d'une main tremblante.

— Vous possédez une grange dans les environs ? demanda Randall.

Pourquoi insistait-il ? Ne voyait-il pas qu'elle était à bout de nerfs ?

— Oh oui, une belle grange. Quand elle sera aménagée, les enfants auront une belle propriété…

Les enfants ? Seigneur, de qui parlait-il ? Ralph Mason imaginait qu'elle allait *épouser* son petit-fils ?

— Et la région est magnifique, ajouta Randall. C'est de quel côté ?

Elle comprit soudain que le détective Poletti menait un subtil interrogatoire. La curiosité de Randall n'était jamais gratuite. Qu'avait-il appris sur Glen, au commissariat ? Et que cherchait-il à savoir, exactement ?

— Au nord-est, là-haut, sous le mont Luna : un beau lopin de terre à la lisière du bois. C'est une prairie sauvage, maintenant. Autrefois, on y faisait du fourrage. Le petit Glen s'en donnait à cœur joie, quand on montait pour la récolte des foins. La grand-mère nous préparait de ces

210

pique-niques !... Il y a bien longtemps de ça... J'espérais que mon fils s'y fixerait avec sa femme, et puis...

Le vieil homme essuya une larme.

— Enfin, aujourd'hui, je suis heureux de léguer la propriété à Glen... et à Dana, du même coup. N'est-ce pas, ma belle ?

— C'est... merveilleux pour lui.

Elle signa vivement le chèque, et le tendit au vieil homme.

— Voilà. Glen pourra le déposer à votre banque, dit-elle en se levant sans regarder Mason.

— Voyons, Dana, vous n'êtes pas sérieuse. Je vous attends dimanche soir à dîner ?

— Euh... Désolée, mais je... repars en Californie avec mes amis : je dois aller voir mes parents.

— Vous allez manquer à Glen. Vous nous revenez bientôt ?

— Oui, bien sûr... Désolée, nous sommes attendus, monsieur Mason. Puis-je faire quelque chose pour vous, avant de vous quitter ?

— Vous avez tout fait en me rendant visite.

Dana serra sa main parcheminée.

— Merci. Ne vous dérangez pas. Prenez bien soin de vous.

Elle courut presque jusqu'à la voiture. Quand Randall monta à côté d'elle, elle le regarda et fondit en larmes.

— Mon Dieu, le pauvre homme... J'étais au supplice... Je ne supporte pas de le tromper comme ça...

Randall lui caressa les cheveux

— Je n'étais pas plus à l'aise que toi, Dana. Mais, pour l'instant, nous devons lui laisser ses illusions. Il se trouve que Glen prépare un sale coup ; la police est sur le point de l'arrêter. Le moment venu, Ralph aura besoin de soutien et de consolation. Il t'aime beaucoup ; tu pourras peut-être l'aider.

Elle essuya ses larmes, et se moucha.

— Quelle ordure, de profiter ainsi de son grand-père !

Randall démarra sans plus s'attarder dans les parages.

— Ce n'est qu'un côté de sa nature dépravée, murmura-t-il.

— Jyce a tout de suite senti qu'il n'était pas net.

— Il ne me plaisait pas non plus. Je n'ai rien dit parce que cette caravane t'emballait, mais si ton père ne t'avait pas donné son arme, je t'en aurais acheté une.

— Tu parles comme Jyce.

Randall lui adressa un sourire amusé.

— Tu es obsédée, toi ! Tu ramènes toujours tout à Jyce.

Elle rit de bon cœur.

— Je suis pathétique, c'est ça ? Si tu savais les efforts que je fais pour ne pas lui montrer à quel point je suis amoureuse de lui… Tiens, hier soir, j'ai failli le supplier de rester.

— Je suis certain qu'il n'avait pas envie de partir.

— J'en suis moins sûre que toi, marmonna-t-elle.

— Il avait peut-être envie d'être supplié.

— Ah non ! Rien de tel pour faire fuir un homme.

— Ça dépend qui le supplie.

— Peut-être que, s'il me disait qu'il m'aime, je deviendrais plus audacieuse.

Randall la nargua en plissant le nez.

— Ça fait combien de jours ?

— Neuf. Enfin, huit, si on enlève le premier. Au début, je ne connaissais même pas son nom.

Ils se regardèrent, et éclatèrent tous les deux de rire.

En deux mois, Jyce avait sillonné chaque hectare des Davis Mountains. Il ne lui restait plus qu'un mouchoir de poche à prospecter. La nuit dernière, ils avaient croisé quelques fermes isolées, mais rien d'intéressant. La seule grange qui avait retenu leur attention jouxtait une habitation. Quand Randall était monté sur les épaules de Jyce pour tenter d'apercevoir quelque chose, des chiens les avaient coursés. Après une petite frayeur et une course effrénée pour échapper aux molosses, ils en avaient ri comme deux chenapans voleurs de pommes… Mais, s'ils rentraient encore bredouilles, cette nuit, Jyce rirait moins.

Sa journée avait commencé avec Glen Mason qui l'avait suivi avec sa voiture sans le lâcher d'un pouce. Qu'est-ce qui pouvait se passer dans le ciboulot de ce taré ? Jyce s'était amusé à le voir perdre son temps pendant toute la matinée, puis, à la sortie d'Alpine, il s'était lassé du jeu.

En terminant ses livraisons de Fort Davis, il acheta un hamburger, et s'arrêta dans la nature, sur la route de Cloud Rim, pour manger tranquillement et remercier Pat.

— J'allais t'appeler, lui dit-il. J'ai du nouveau sur l'oiseau : un cadeau pour toi.

Jyce sentit l'excitation le gagner, comme toujours en pareille circonstance.

— Déballe-le vite, ce cadeau !

— Du bon gros gibier. Ton lascar est en cavale, échappé de la centrale de Splading County, Atlanta, Georgie.

Jyce n'en croyait pas ses oreilles. Evadé de prison ! De quoi le faire boucler à vie. Glen Mason n'allait pas s'en tirer avec une simple tape sur les doigts pour délit de voyeurisme !

— La baraka, Pat !

— Ecoute le curriculum. Cas psychiatrique. Fiché comme grand délinquant depuis l'âge de treize ans. Palmarès : vol à main armée, agression aggravée, kidnapping...

Kidnapping ?

Alors, il était fort possible que ce tordu eût projeté d'enlever Dana...

Jyce prit une profonde inspiration.

— C'est une information pour Tom Haster, Pat. Désolé. Même si l'affaire n'est pas liée à Gibb, je ne peux pas laisser mon chef à la traîne sur ce coup-là.

— Ne t'excuse pas. Je n'en fais pas une affaire personnelle. Les renforts seront bienvenus, de toute façon.

— O.K., je l'appelle tout de suite, pour qu'on puisse mettre une souricière en place le plus vite possible. Ce soir, je ratisse la dernière zone avec Randall. Si on ne trouve rien, on épingle Mason.

— A tes ordres, capitaine. Je m'occupe de la réception du commando ?

— Oui. Je vais demander à Tom de traiter directement avec toi. Le temps de sélectionner ses hommes, ils arriveront dans la soirée. Organise-nous un briefing.

Pat hésita :

— Et ?

Jyce devinait facilement le sens de son silence, qui lui pesait lourd sur le cœur. Il soupira.

— Appelle-moi pendant le dîner : je te rejoindrai.

— A quelle heure ?

Repousser au maximum... Il voulait profiter de ses derniers instants avec Dana. Demain, elle partirait avec Randall à Bing Bend Park, et lundi... Jyce ne voulait pas y penser.

— Vers 19 heures. Tu te feras passer pour le patron d'IPS, et tu demanderas à me voir pour me parler de mon prochain poste.

— Courage, Jyce. C'est le dernier sprint.

— A ce soir, Pat.

Il allait devoir préparer Dana à son départ, puis la quitter en coup de vent, et il n'avait aucun moyen de faire tout cela dans de bonnes conditions.

« Ne sois pas ingrat, Riley : Randall sera là pour veiller sur elle. »

Kidnapping.

Chassant ces images horribles de son esprit, il appela Tom Haster.

Quand il reprit la route de Cloud Rim, Jyce était tellement absorbé par ses préoccupations que la sonnerie du téléphone le fit sursauter.

— Allô !

— Enfin, tu décroches ! Ma femme commence à me regarder de travers : ça fait trois fois que j'invente une excuse pour m'éclipser. Je tiens ta grange !

La fourgonnette fit une embardée, tandis que Randall lui rapportait l'entretien avec Ralph Mason.

Quand Jyce relata à son tour les derniers événements, sa propre voix lui sembla feutrée, méconnaissable.

Randall émit un sifflement.

— Cette fois, Mason est cuit. Bravo, vieux.

— Oui. Mais je vais avoir besoin que tu soutiennes Dana. Qu'est-ce que vous aviez prévu pour ce soir ?

— J'ai pris des places pour le rodéo en nocturne, à Fort Davis. Quand tu seras parti, Dana ne voudra plus y aller, mais Heidi restera avec elle. Et, s'il le faut, on la secouera pour l'emmener au parc d'attractions, demain. Tu peux compter sur nous. J'ai plus ou moins prévenu Heidi que je travaillais avec la police du coin pour protéger Dana de Glen Mason.

— Je ne sais pas ce que j'aurais fait sans toi, murmura Jyce.

— Ton briefing sera terminé à minuit ?

— Je m'arrangerai pour que ce soit le cas.

— Rendez-vous chez toi. Haut les cœurs, Jyce !

12.

— C'est toi, Glen ? Tu rentres tôt !

Ouais. Maudit excès de vitesse ! Les poulets s'étaient planqués à la sortie d'Alpine ; des dizaines de bagnoles s'étaient fait pincer ! Mais pas la fourgonnette d'IPS. Le temps que ces emplumés lui dressent un procès-verbal, Glen avait perdu trace du livreur. Et, par la même occasion, ses chances de trouver Dana.

— M. Jorgenson m'a libéré pour le week-end parce que je fais du bon boulot ! lança-t-il.

— C'est bien, mon petit. J'ai dit à Dana que j'étais fier de ton évolution, ces derniers temps.

Glen se figea.

— Tu l'as vue ? Quand ?

— Ce matin. Elle est passée avec un ami. Elle est encore plus belle que dans mes souvenirs. Viens que je te raconte.

Glen essayait de décrypter l'intonation du papy. Il avait pas l'air furax, mais valait mieux se méfier : ils étaient rusés, ces vieux.

Glen avança sur des jambes tremblantes.

— Qu'est-ce qu'elle t'a dit ?

— Elle est venue résilier son bail. J'en étais navré, mais je la comprends. La caravane était trop petite pour une jeune femme comme elle, qui a besoin de recevoir dignement des gens importants.

La sainte-nitouche !

— Et ?

— Si je sais lire entre les lignes, ce nouvel appartement en ville pourrait être un gentil nid de départ pour vous deux.

Glop. Ou bien le papy déménageait, lui aussi, ou bien Dana avait pas voulu lui faire de peine… Ça, c'était dingue !

Mais leurs motivations, c'était leurs oignons ; Glen allait pas pinailler là-dessus… En tout cas, il avait eu chaud !

Il s'approcha de son grand-père.

— Je suis content que tu le prennes bien, papy. Je t'avais pas prévenu pour pas te chiffonner d'avance. On sera pas loin, tu sais. Elle t'a dit où c'était ?

— En ville. C'est à Fort Davis, je suppose ?

Pas moyen de soutirer l'adresse.

— Ouais, c'est ça. Euh… Avec qui elle était, tu dis ?

— Randall. Tu sais, ses amis de Californie qui l'avaient aidée à emménager.

— Ah ouais, j'avais oublié qu'ils venaient. On doit sortir ensemble, euh, les promener. Au fait, à quel hôtel ils sont descendus, déjà ?

— Désolé, je n'ai pas pensé à le demander.

— O.K. Qu'est-ce que tu veux avec tes nouilles ? Des boulettes ou du poulet ?

Il allait faire manger le papy avec un lance-pierres pour redescendre au dépôt d'IPS, à Alpine. Ce soir, le livreur rentrerait forcément chez lui et, cette fois, Glen le perdrait pas de vue.

— Des boulettes. Et une part de ce melon qui est si bon. Tu deviens un véritable expert pour choisir les fruits. Le métier rentre, Glen. Tu te souviens comme tu aimais le melon, quand tu étais petit ? Ces pique-niques avec ta grand-mère, c'était quelque chose...

Glen s'apprêtait à quitter la pièce en laissant le vieux papoter, mais la suite attira son attention.

— Je racontais justement à Dana le bon temps qu'on prenait, là-haut, quand on ramassait le fourrage. Je lui ai dit que la grange ferait une maison splendide, une fois rénovée...

Glen se pétrifia.

— Tu... lui as parlé de la grange ?

— Bien sûr ! Il faut mettre tous les atouts de ton côté, mon petit, si tu veux conserver une perle pareille.

— Tu lui as dit où c'était ?

— Evidemment ! Et j'aimerais que tu l'emmènes visiter, Glen. Ce serait un endroit charmant pour élever des enfants.

« Vieux bavard ! Tu pouvais pas tenir ta langue ? »

Si Glen avait envisagé un moment de s'enfuir tout seul avec Dana ficelée dans le pick-up, il préférait quand même l'emmener en avion avec Lewis.

Il était obligé d'avertir Lewis de la gaffe du vieux.

Lewis allait lui arracher la tête.

— Mon pavé de bœuf était savoureux. Et le tien, chérie ?

Heidi opina du chef.

— Et ta côte de bœuf, champion ?

— Je préfère les hamburgers, mais c'était bon.

Dana échangea un sourire avec Jyce. Quelle différence avec le dîner d'hier soir ! Elle se sentait vraiment heureuse, et c'était visible.

Il resserra son bras autour d'elle.

— C'est l'un des meilleurs restaurants de Fort Davis, dit-il, mais je suis devenu difficile, depuis que j'ai goûté la cuisine de Dana.

— Pas étonnant, répliqua Heidi qui avait nettoyé son assiette jusqu'à la dernière miette. Sa mère est probablement le plus fin cordon-bleu de Califor...

La sonnerie du téléphone de Jyce l'interrompit.

— Excusez-moi.

Il détacha son bras de Dana pour répondre. Quand elle l'entendit dire « Maintenant ? », son cœur se serra.

Elle l'interrogea du regard. A voir sa mine, elle n'avait pas besoin d'un dessin pour comprendre que leur soirée tombait à l'eau.

Mais, quand il raccrocha, ce fut pire qu'elle ne pouvait l'envisager.

— Une tuile, annonça-t-il. Navré. Le livreur que je remplaçais vient de signaler son retour : je dois immédiatement passer chez IPS pour discuter de ma prochaine affectation.

« Oh non ! » Dana crut qu'elle allait s'évanouir.

— Ça veut dire que... tu vas quitter Alpine ?

— Je le crains, oui. Tu m'accompagnes à la voiture ?

Elle fit non de la tête.

— Tu m'avais prévenue, Jyce ; je n'ai pas besoin d'explication. Si IPS t'appelle d'urgence un vendredi soir, je suppose que c'est pour te donner le temps de déménager ce week-end.

220

Il s'accroupit pour être à sa hauteur, et plongea les yeux dans les siens qui étaient pleins de larmes.

— Je voudrais te parler, Dana. Accorde-moi cinq minutes.

Même si elle l'avait voulu, elle n'aurait pas pu bouger.

— Bon, dit Jyce. Je t'appelle. Je pars, mais je ne te quitte pas.

Il déposa un baiser dans son cou en chuchotant :

— Cet E.G.A.-là a succombé à l'attraction d'un corps céleste exceptionnel, ne l'oublie jamais.

Puis, à travers un brouillard, elle l'entendit prendre congé de ses amis.

— Nous allons la dorloter, promit Randall.

— Je compte sur vous.

L'instant suivant, il avait disparu, comme si une tornade l'avait emporté.

Dana le croyait sincère quand il lui murmurait qu'il n'était plus un astéroïde fuyant. Ce soir, il ne l'avait pas quittée de gaieté de cœur, mais elle craignait que, demain, en préparant ses bagages, il ne s'installât de nouveau dans son rôle de veuf inconsolable.

Que ferait-elle de sa vie, alors ? Pourquoi était-ce si douloureux ? Neuf jours d'une relation qui ne menait nulle part... Elle aurait presque préféré découvrir que Jyce Riley l'avait trahie, qu'il était à la solde de Tony Roberts. Au moins, elle aurait eu une raison de le détester !

« Ne t'écroule pas ! N'oublie pas que tu es une battante ! Tu as traversé pire, et tu en es sortie entière, comme te l'a rappelé Randall. »

— On va quand même au rodéo, hein ? lança Kevin.

Dana se força à sourire.

— Bien sûr que vous y allez… Vous ne m'en voudrez pas si je rentre ? Je sens une migraine qui commence.

Evidemment, Heidi fut solidaire de son amie.

— Je me sens fatiguée, moi aussi. C'était passionnant, cette visite du Musée historique avec Jyce, mais j'ai trop marché.

— Je n'en crois pas un mot, déclara Dana. Si tu es fatiguée, ton hôtel est à côté. Moi, je prends un taxi, et…

— Tu ne prends rien du tout, affirma Randall. Je vous emmène toutes les deux à Cloud Rim, vous gardez Furet, et nous redescendons assister au spectacle entre hommes. Qu'est-ce que tu en penses, Kevin ?

Kevin acquiesça, ravi de partager les joies du rodéo avec son père.

De retour chez elle, Dana s'effondra en sanglots sur son lit. Aussitôt, Heidi vint se pencher sur elle.

Assis sur le tapis, Furet observait la scène, le tête penchée, l'oreille pendante.

Dana prit le mouchoir que lui tendait son amie, et demanda, entre rire et larmes :

— Tu n'en as pas assez de mes pleurnicheries ? Tu les as déjà supportées au parloir, tous les dimanches, pendant sept mois ! Je suis sidérée par ta fidélité…

Heidi attendit que les larmes de Dana se fussent taries.

— Je croyais que ton thérapeute t'avait expliqué qu'après ce que tu avais subi, tu allais avoir tendance à tout dramatiser ?

Dana se moucha.

— Oui. C'est lié au sentiment de perte. La perte de Mary, la perte d'un an de ma vie et, une fois de plus, la perte de mes illusions.

— Tu n'as pas perdu Jyce.

— Non, puisque Jyce ne m'a jamais appartenu. Depuis sept ans, il appartient à son passé.

— Comme si Randall avait appartenu à Fay pendant dix ans !

— Rien à voir.

— Exactement pareil. Qu'est-ce que tu crois ? Les hommes sont comme nous, Dana : ils attendent de rencontrer l'âme sœur. Randall ne s'est pas remarié plus tôt parce que c'était moi la femme de sa vie. Jyce ne s'est pas encore remarié parce que tu n'avais pas encore croisé son chemin.

Dana leva les yeux au ciel avec un haussement d'épaules. Puis elle se leva d'un air déterminé.

— Eh bien, moi, je ne vais pas attendre sept ans sa demande en mariage.

— Dana…

— N'aie crainte, je ne vais pas me désagréger non plus. Je suis une miraculée. Je vous dois la liberté, à toi et à Randall ; je serais trop ingrate si je la gâchais.

— Tu la gâcherais en quittant Jyce.

— C'est lui qui me quitte.

— Suite au prochain numéro.

Dana éluda.

— Demain, je vais vous suivre jusqu'à Big Bend dans ma voiture et, de là, je filerai prendre un avion à El Paso. Quelques jours chez mes parents me feront le plus grand bien. J'en profiterai pour rendre visite à Consuela et passer une journée avec Rosita.

Heidi la contempla en réfléchissant.

— Ce n'est pas une mauvaise idée, déclara-t-elle. Et tu peux toujours changer d'avis, en fonction des nouvelles que Jyce te donnera.

Le portable tinta justement à ce moment-là. Dana se jeta sur son sac, et lança « Allô ! » d'une voix essoufflée, comme si elle venait de courir un marathon.

— Dana ?

La voix de Jyce la bouleversait toujours. Elle retomba assise sur le lit.

— Tu... as réglé ton problème ?

— Je suis désolé, Dana, tu n'imagines pas à quel point. Je... suis coincé ici, le temps qu'ils organisent les remplacements avec l'ordinateur central... Je ne sais pas quand...

— Ce n'est pas grave, Jyce. On se recroisera peut-être un jour.

— Ne dis pas de bêtises ! Ecoute, je ne peux pas partir avec toi au Big Bend Park, demain matin, mais je t'appelle dans la journée, et je vous rejoins là-bas dès que possible.

« Mais ne propose surtout pas de prendre le petit déjeuner avec nous avant ton départ. Moi non plus, je n'ai pas envie de prolonger les adieux... »

Elle esquiva le regard de Heidi dont elle redoutait la compassion.

— Oui, rappelle-moi quand tu seras libre.

— Ne me désespère pas, Dana. Fais-moi confiance.

— Bonne nuit, Jyce.

Elle raccrocha sans un regard vers Heidi.

— Excuse-moi : je vais me passer de l'eau sur le visage.

Elle s'engouffra dans la salle de bains, et ferma la porte, sans laisser à son amie la possibilité de la suivre. Elle craignait d'avoir présumé de ses forces en proclamant qu'elle n'allait pas se désagréger.

Glen avait décidé qu'il coincerait Dana tôt ou tard à l'observatoire. Après réflexion, il avait renoncé à aller guetter le livreur au dépôt d'IPS. Sa prune pour excès de vitesse le turlupinait. Les flics vérifiaient pas le casier de tous les zigs qu'ils épinglaient, mais… En tout cas, il irait jamais raconter ça à Lewis.

Lewis avait piqué sa crise quand Glen avait insisté pour le voir. Finalement, il lui avait filé rancard sur le parking du centre commercial. Glen l'attendait en réfléchissant à la meilleure manière d'amener les choses. Le contrat de Lewis au garage de poids lourds s'arrêtait dimanche soir. A deux jours près, Glen pourrait peut-être lui faire presser le mouvement. Ou alors, il partirait tout seul avec Dana.

Il sursauta quand la moto passa devant lui. Lewis tourna encore dans le parking avant de revenir se garer à quelques mètres du pick-up. Lewis était toujours vachement prudent.

Il s'adossa derrière l'abri des caddies, et attendit Glen. Il desserrait pas les dents. Il avait ce regard qui aurait fichu les jetons à n'importe qui. Seulement, ce soir, Glen avait peut-être aussi un moyen de lui flanquer la frousse.

— Je veux mon fric, Lewis.

— Et quoi, encore ?

— Je veux partir demain avec Dana.

Lewis crispa les mâchoires.

— Ce sera lundi, et sans elle.

— Elle a déménagé.

— Bon débarras !

Glen déglutit.

— Grand-père lui a parlé de la grange.

Aussitôt, Lewis le saisit au collet.

225

— Quand ça ?

— C-ce matin… Elle est venue résilier son bail avec…

Glen ne put continuer. Lewis allait l'étrangler.

— Avec le livreur ? Ton vieux a cafté au livreur ?

Glen, qui était au bord de l'asphyxie, ne put que secouer la tête. Lewis relâcha quelque peu sa poigne. Glen toussa.

— Non… C'est un type de Californie : il en a rien à cirer…

Lewis s'éloigna de trois grandes enjambées et, quand il revint, Glen eut l'impression que ses yeux allaient jaillir de ses orbites.

— Où elle est, ta gonzesse ?

— C'est… c'est le hic. Je sais pas. Mais elle a dit à grand-père que, demain, elle allait en Californie, alors elle va sûrement monter à l'observatoire : doit y avoir des trucs à fermer, là-haut, lâcha-t-il d'une seule traite.

— T'as intérêt. On se barre demain.

Glen n'en croyait pas ses oreilles. Il avait réussi ! Il avait réussi à fiche la frousse à Lewis !

— Alors, tu nous emmènes ?

— Tu crois pas que je vais te laisser courir dans la nature ?

— Mais tu emmènes Dana aussi ? insista Glen, trop obsédé pour décrypter le sens caché des paroles qu'il entendait.

— Oui. Si elle vient avant midi.

Glen était ébahi.

— C'est vrai ?

— Maintenant, écoute-moi bien. Tu vas te carapater à 3 heures du mat' en passant par ton tunnel.

La plupart des ranchs de la région avaient leur galerie secrète qui datait du temps de la prohibition. Celle de Glen était dans la cave : un boyau bas et étroit qui aboutissait, une centaine de mètres plus loin, dans une sorte de terrier où trônait encore un vieil alambic tout rouillé qui avait servi à fabriquer le whisky interdit. Glen détestait ce trou à rats.

— Tu charries ! dit-il.

— La ferme ! Et fais exactement ce que je te dis. Elle travaille de nuit, ta souris ?

— Pas toujours.

— Si sa voiture y est, on se retrouve dans les parages.

— Comment tu vas venir, toi ?

— T'occupe pas de moi. Si elle y est pas, tu me rejoins à la grotte. On guettera son arrivée avec les jumelles.

— Et... si elle arrive pas à midi ?

Lewis esquissa un rictus.

— Je te bute sur place, et tchao bella !

Glen rigola, mais, quand même, il avait de ces blagues, Lewis...

— Burdick doit savoir piloter, annonça Jyce à l'instant où Randall monta dans la jeep. Son père dirige une entreprise d'avions d'épandage agricole.

— Eurêka ! En avant pour la grange !

— J'ai repéré une douzaine de bâtisses, mais je n'ai pas eu le temps de tracer l'itinéraire. Tu le fais pendant qu'on roule ?

Randall prit la lampe torche, et déplia la carte d'état-major sur ses genoux.

A Alpine, les bureaux du cadastre n'ouvraient que trois jours par semaine, et pas le vendredi. Il aurait fallu un mandat officiel pour obtenir un accès immédiat aux registres afin de situer exactement la grange de Ralph Mason. Mais, compte tenu de la petite surface qui restait à explorer, Jyce avait décidé de s'en passer.

— Ton briefing ? demanda Randall.

— Pour cette nuit, j'ai placé trois hommes au ranch et trois autour de l'immeuble, dans la cité. On attendra qu'ils sortent pour les cueillir : je ne veux pas d'effusion de sang.

Randall grimaça.

— Ces arrestations-là ne se passent jamais en douceur.

— Quand même, on va essayer d'éviter un traumatisme au vieux Ralph.

— Tu devrais avoir bouclé ça dans la matinée.

— Au moins dans la journée. J'espère vous rejoindre à Big Bend. Je n'aurai pas trop d'une nuit avec Dana pour m'expliquer.

— Encore faudra-t-il que j'arrive à la convaincre de ne pas s'envoler pour la Californie !

— Pour ça, je te fais confiance. Tu n'auras qu'à te servir de l'influence que tu as sur elle !

L'exploration de la montagne débuta comme une agréable promenade. Mais, à 2 heures du matin, Jyce commençait à regretter le cadastre car, dans ce secteur d'anciens alpages, les cartes d'état-major indiquaient la moindre cabane de berger tombée en décrépitude depuis un siècle. Ils avaient parcouru des kilomètres de sentiers sinueux pour n'aboutir qu'à des tas de ruines.

Quand il ne resta plus que trois sites entourés sur leur plan, un silence soucieux s'installa entre les deux hommes.

Jyce roulait au ralenti, et Randall balayait le paysage avec les jumelles de nuit. La jeep cahotait sur un énième sentier muletier gravissant une crête...

— Terminus. Tu vois ce que je vois ?

Jyce écrasa le frein. A travers les arbres, il n'aperçut qu'une longue étendue de clairière. Randall lui passa les jumelles.

Tout au bout, la grange était presque encastrée dans la forêt, revêtue de vigne vierge jusqu'au toit. Pas étonnant qu'aucun hélicoptère ne l'eût repérée.

Jyce attrapa son sac à dos, et ils dévalèrent la colline en biais, de façon à atteindre la grange par le couvert des bois.

Le portail avait été sécurisé par une grosse chaîne d'acier, munie d'un cadenas qui brillait au clair de lune.

— C'est tout neuf, ce matos !

— Oui. Et ça n'aura pas servi longtemps ! rétorqua Jyce en vissant le silencieux à son arme.

Après un tir bien ajusté, ils entrèrent avec la torche. L'odeur de kérosène les assaillit aussitôt.

Le Beech Craft bimoteur, qui avait échappé à toutes les investigations depuis six mois, trônait là, sur ses cales, intact et impeccablement entretenu. Une demi-douzaine de gros jerricanes s'alignaient contre un mur de la grange.

D'un même élan, le ranger et le policier grimpèrent examiner l'intérieur de l'appareil. Le constat fut rapide.

— Ils ont planqué le magot ailleurs.

— Tu le trouveras, capitaine. Comme tu as trouvé l'avion.

Ils sautèrent du cockpit.

— Quelle impression ça fait ?

— La même qu'à toi, lieutenant, répondit Jyce avec une tape amicale sur l'épaule de son compagnon. Je t'en dois une belle !

— J'ai œuvré pour ma propre paroisse.

Ils échangèrent une accolade. Puis, d'un commun accord, Randall se chargea de prendre les photos du site pendant que Jyce téléphonait.

Pat répondit d'une voix ensommeillée, puis, très vite, il lança un cri de victoire.

— Et le butin ? demanda-t-il après avoir assimilé l'information.

— Pas là. Mais on leur fera cracher le morceau... Ecoute, je n'ai pas été discret : j'ai pulvérisé le cadenas. Il faut que tu m'envoies une souricière ici, au cas où l'un des deux se pointerait. Vous les tenez toujours au chaud ?

— On cerne le ranch et l'appartement. Aux dernières nouvelles, le pick-up et la moto n'ont pas bougé. Les types doivent dormir comme des loirs.

— Leur réveil sera moins paisible.

— Dis donc, j'ai un lit de camp dans mon bureau. Si tu allais faire un petit somme, toi aussi, pour être sur le pied de guerre dans trois heures ?

— On a déjà trouvé l'avion ; ne me demande pas de trouver le sommeil : ce serait beaucoup pour une même nuit.

— Tu es avec Randall ? Dis-lui que je le nomme citoyen d'honneur d'Alpine.

— Il sera flatté, mais il faut reconnaître que c'est justifié. Et tu n'es pas le dernier non plus à mériter une médaille, Pat.

Après six mois de chasse éperdue, les braqueurs du convoi de fonds d'Austin étaient enfin coincés. Dans quelques heures, les fumiers qui avaient assassiné Gibb, les ordures qui avaient filmé Dana allaient enfin payer.

Quand Jyce raccrocha, ce fut comme s'il avait soudain évacué une tonne de stress et qu'il trouvait un second souffle. Il regrimpa la côte à travers bois, d'un pied si léger que Randall le rattrapa avec une longueur de retard.

— Et tu n'es même pas essoufflé, l'athlète !

— Non, mais c'est l'euphorie qui me donne de l'énergie. Je vais avoir besoin d'une sacrée douche glacée avant de remonter épingler Mason.

— Tu veux que je t'accompagne chez toi et que je te préparer un litre de café ?

— Non, non. Va plutôt rejoindre ta femme : elle doit trouver le lit bien vide, en ce moment !

« Et ta femme à toi, Riley ? »

Dana souffrait aussi, d'un autre vide dont elle ne connaissait même pas la cause. Le vide de ne pas savoir qui il était. Dieu qu'il était impatient de la rejoindre et de mettre un terme à cette situation bancale !

— Pourvu que ces salopards ne nous donnent pas de fil à retordre ! murmura-t-il.

— J'espère que tu seras avec nous pour le p'tit-déj' ! répondit Randall. Mais, quoi qu'il arrive, j'emmène Dana à Big Bend dans *ma* voiture, et je l'empêche de s'envoler.

Dans quelques heures, dès qu'il en aurait terminé avec ce cirque, il la rejoindrait. Sans masque. Jyce Riley. Texas ranger. « Aime-moi, Dana. Aime-moi tel que je suis… »

— Ne t'inquiète pas : elle t'attendra. Sans l'avouer, mais elle t'attendra.

Les derniers mots de Randall restèrent suspendus dans le silence qu'ils partagèrent sur le chemin du retour. Un silence chargé d'émotions pour ces deux hommes qui venaient de se rencontrer : ils pensaient à la mission accomplie, à celle dont ils devaient encore s'acquitter, à la solidarité professionnelle et à la fraternité tout court.

Tandis qu'ils abordaient la descente sur Fort Davis, un nuage solitaire s'effilochait devant la lune.

13.

Dana avait préparé ses bagages la veille, et son réveil était réglé sur 6 heures. Naturellement, elle s'était réveillée plus tôt. A 6 h 30, elle était fin prête, vêtue d'un pantalon de lin et d'un pull en coton à manches courtes, une tenue confortable pour l'avion et adaptée au climat océanique de la Californie du Sud.

Il ne lui restait plus qu'à monter à l'observatoire pour éteindre l'ordinateur central, pour le cas où elle s'absenterait plus longtemps que prévu.

« Et si tu ne t'absentais pas du tout ? Si Jyce surgissait tout à l'heure, pendant le petit déjeuner ?… Non, ne rêve pas, Dana Turner ! »

Toute la nuit, elle avait attendu un coup de fil de Jyce. S'il avait trouvé un remplacement tout près de Cloud Rim, il n'aurait pas manqué de lui annoncer la bonne nouvelle. Mais il n'avait pas téléphoné. Et, aujourd'hui, avec son déménagement, il allait sans doute replonger dans l'effervescence cyclique de la vie des nomades pathologiques.

Par conséquent, elle ne devait pas penser à lui !

Elle vérifia qu'elle n'oubliait rien, puis attrapa son sac. Elle avait laissé le double de ses clés aux Watkins, en toute confiance. Elle pouvait donc partir tranquille.

Un souffle de vent lui ébouriffa les cheveux quand elle ouvrit la porte. Elle leva les yeux. Des nuages s'amoncelaient dans le ciel du Texas.

Après cette longue période de beau temps, il fallait que l'orage menaçât justement aujourd'hui ! Pourvu qu'il n'y eût pas trop de turbulences dans l'avion...

Ce fut un prenant sa voiture dans le garage qu'elle se souvint du chemin des écoliers dont sa mère lui avait parlé. Au lieu de descendre par la cour de la quincaillerie, elle essaya le sentier muletier qui serpentait à travers bois.

Le temps d'arriver au sommet, le vent s'était tellement renforcé qu'il faisait tanguer la voiture.

Dana se gara le plus près possible de la porte de l'observatoire, et courut s'engouffrer à l'intérieur avant d'être emportée par la bourrasque.

Elle se dirigea droit dans son bureau pour envoyer un e-mail à son père, puis elle éteignit les ordinateurs.

Elle fit le tour des installations, tapota affectueusement le télescope au passage en lui promettant de revenir bientôt, puis alla retrouver ses amis au Ponderosa de Fort Davis.

« Viens nous rejoindre, Jyce ! Viens, je t'en supplie... »

Pendant qu'elle verrouillait la porte électronique avec la télécommande, une rafale de vent lui rabattit les cheveux devant les yeux. Elle s'engouffra vivement dans sa voiture.

Elle s'apprêtait à boucler sa ceinture de sécurité quand elle fut cravatée par-derrière. Puis elle sentit un objet dur et froid sur sa nuque : un revolver.

— Me fais pas d'embrouilles ou t'y passes.

Oh, mon Dieu !

— Qu-que voulez-vous ?

Elle était si terrifiée qu'elle pouvait à peine parler.

234

L'agresseur plongea le bras à l'avant de la voiture pour s'emparer de son sac.

— Je t'emmène en vadrouille. Et t'avise pas de brailler si on croise un péquenot. Suffit que tu le regardes, et je vous liquide tous les deux. Roule.

Elle tremblait tellement qu'une minute plus tard, elle n'avait toujours pas démarré. L'homme appuya plus fort le canon sur sa nuque.

— Arrête de caler !

— J-je ne le fais pas exprès.

Quand elle réussit enfin à démarrer, elle entrevit les horreurs qui l'attendaient.

Pourquoi avait-elle laissé son arme à l'appartement ?

Pourquoi n'avait-elle pas prévenu Heidi qu'elle montait à l'observatoire ?

Personne ne savait où elle était. Personne ne saurait où ce monstre l'emmenait.

« Mon Dieu, mon Dieu, aidez-moi ! »

— Tu prends le sentier à gauche.

Quel autre choix avait-elle ?

C'était un sentier coupe-feu qui courait dans la montagne, au-dessus des ranchs éparpillés à la périphérie du village. Elle l'avait emprunté une fois, pour voir où il menait, et elle s'en était retournée parce qu'il se perdait dans des coins isolés et impraticables.

N'y avait-il pas au moins un garde forestier qui pourrait se souvenir d'avoir vu passer sa voiture ? Un fermier qui se promènerait avec son chien ?

Si elle croisait quelqu'un, peut-être pourrait-elle l'alerter en lui lançant un appel de phares… à condition de pouvoir les allumer. A l'instant où elle allait le faire, elle sentit l'impact du métal dans son cou.

— Laisse tes mains sur le volant !

Lui-même s'arrangeait pour qu'elle ne le vît pas dans le rétroviseur, mais elle aperçut quand même ses cheveux noirs. La voix lui était inconnue...

A la première occasion, elle tenterait de s'échapper, quitte à risquer sa vie.

Son téléphone tinta dans son sac. Huit sonneries. Ça pouvait être Jyce, ou Heidi qui se demandait où elle était passée.

Après plus de trois kilomètres de chemin caillouteux, elle reçut l'ordre de quitter le sentier tracé.

— Tu prends là, derrière la grosse touffe d'arbres.

— J-je ne passerai pas. M-ma voiture n'est pas assez haute.

— La ferme ! Fais ce que je te dis.

Elle bifurqua sur le talus abrupt, son 4x4 cahotant sur la rocaille, le châssis cognant sur les pierres.

Dans un soubresaut, le moteur cala. Dana dut s'y reprendre à trois fois pour redémarrer. Elle tremblait comme une feuille. Son dos était envahi de sueurs froides.

— Tu tournes là, et tu t'arrêtes exactement devant la branche qu'est par terre.

Seigneur ! Il avait tout calculé à l'avance pour que sa voiture fût dissimulée sous les arbres. Qui était ce type ? Depuis combien de temps avait-il prévu de la surprendre à l'observatoire et de...

— Stop !

Elle écrasa le frein.

— Coupe le contact. Tu sors, et pas d'entourloupette, hein !

C'était l'occasion ou jamais. Dana prit une grande inspiration et, au moment où son ravisseur sortait par l'arrière, elle plongea sur la portière du côté opposé. Elle roula dans l'herbe, se releva et commença à courir.

— Sale garce !

L'homme se trouvait derrière, en contrebas. Dana n'avait pas d'autre possibilité que de monter. Le vent annonciateur d'orage semblait s'acharner contre elle, la fouettant, la déstabilisant. Elle trébuchait sur les cailloux avec ses sandales destinées aux plages californiennes. Le souffle lui manquait. Elle avait une meilleure forme, autrefois. Pourquoi s'était-elle laissée dépérir, en prison, au lieu de faire un peu de sport avec les autres détenues ?

Tout en hurlant des injures dans le vent, son kidnappeur la rattrapait. Mais il n'avait pas tiré. Il n'avait pas l'intention de la tuer ; il poursuivait un autre but...

Non. Non, elle lui résisterait de toutes ses forces, et tant pis si elle y laissait sa vie !

Un énorme rocher en saillie lui apparut soudain comme une planche de salut. Si elle pouvait se protéger derrière et lui jeter des pierres, l'empêcher d'approcher jusqu'à...

Puis, comme un miracle, quelqu'un déboucha derrière le rocher.

— Au secours ! cria-t-elle. Aidez-moi !

Puis elle se figea brusquement.

Glen Mason.

— J'te l'ai amenée, lança son ravisseur. Maintenant, tu la fais entrer là-dedans en vitesse.

— Où ? murmura-t-elle en tournant vers son agresseur un visage probablement déformé par l'épouvante.

— A la niche.

Lewis lui saisit le bras avec une poigne contre laquelle elle n'était pas de force à lutter, et la traîna jusqu'à l'épaulement rocheux.

Là, un grand trou noir et béant s'ouvrit devant elle comme un gouffre.

— Dana, Dana…, répétait Glen en la dévorant d'un regard pathétique.

— Ne me faites pas entrer dans une grotte ! supplia-t-elle. Je ne peux pas !

— T'as intérêt à la museler, Glen, parce que je vais pas la supporter longtemps, ta meuf.

Ce fut la dernière phrase qu'elle entendit avant de perdre connaissance.

A 8 heures, la patience de Jyce s'émoussait. Ils tenaient la position depuis trois heures, et rien n'avait bougé. En admettant que Glen eût décidé de ne plus travailler à la supérette, que faisait-il ? La grasse matinée chez son grand-père ?

Jyce se dirigea vers la jeep, et appela Pat.

— Du mouvement, côté Burdick ? demanda-t-il.

— Toujours pas.

— Alors, on lance l'opération en simultané. Dans une minute, je vais sonner à la porte, ici, et on verra ce qui se passe.

— O.K ! Et rendez-vous après pour sabler le champagne.

— Ce serait trop facile.

— Pourquoi ?

— Ce calme ne me plaît pas.

— Tout doux ! Tu as mis deux mois à boucler une affaire qui traînait depuis le début de l'année, et qui ne reposait que sur l'espoir et la prière ! Dans dix minutes, tu seras un héros, Jyce. Va cueillir Mason et, ce soir, tous les rangers du Texas feront la fête.

— Que le ciel t'entende, Pat !

Mais Jyce avait un mauvais pressentiment. L'appréhension l'avait gagné un peu avant 8 heures, quand il s'était dit que Dana espérait sans doute le voir à l'heure du petit déjeuner, à Fort Davis.

— Bon, j'y vais. Envoie le signal.

Il raccrocha. En sortant du bois, il entendit l'imperceptible bruissement des hommes qui, aussitôt avertis, se positionnaient, prêts à intervenir.

Pourquoi redoutait-il ce qu'il allait découvrir dans ce ranch ?

— Merci, madame Watkins. Merci infiniment…

Heidi raccrocha en regardant son mari avec anxiété.

— Elle a fait le tour : le 4x4 n'y est pas.

En appelant à la quincaillerie, ils avaient appris par M. Watkins que le 4x4 était parti par le chemin de derrière, vers 6 h 30. Sa femme, qui devait monter couvrir leurs ruches contre l'orage menaçant, avait proposé de pousser jusqu'à l'observatoire pour vérifier.

Randall se prit le visage à deux mains.

— Ça exclut au moins qu'elle ait une jambe cassée…

Ils avaient pensé un moment que Dana s'était peut-être blessée d'une façon quelconque, et qu'elle ne pouvait pas se déplacer pour répondre au téléphone.

— Et si Jyce était finalement passé, hier soir ? Si elle était chez lui ? suggéra Heidi.

Randall marqua une hésitation.

— Ils auraient appelé : ils savent qu'on les attend pour déjeuner !

Assis avec Furet sur le bord du lit, Kevin émit l'hypothèse la plus sensée :

— Elle était vraiment mal, hier soir, à cause de Jyce. Elle a peut-être décidé de prendre le premier avion, et elle n'a pas voulu nous réveiller si tôt. Les portables sont interdits, en vol.

Heidi interrogea son mari du regard.

— Kevin a raison. J'appelle l'aéroport d'Alpine.

Ils attendirent dans l'angoisse que la réceptionniste de l'hôtel leur passât la communication. Une minute plus tard, à voir le visage de Randall, elle comprit qu'ils n'étaient pas sur la bonne piste.

— Alors ? demanda-t-elle, malgré tout.

— Non, elle n'est pas enregistrée sur le premier vol, et aucun avion n'a décollé, depuis. Les départs sont retardés d'une heure à cause de la météo.

L'anxiété de Randall était visible.

— Si nous appelions ses parents ? lança-t-il. Elle les a peut-être prévenus de son arrivée ?

— Randall ! Tu dois vraiment être angoissé pour songer à alarmer ses parents !

Il la happa dans ses bras.

— Tu as raison : c'est une idée stupide.

— Tu penses que Glen l'a enlevée ?

— Chut, chérie ! Glen est sous surveillance, je te l'ai dit.

— Il doit bien y avoir une explication rationnelle…

La sonnerie du téléphone les fit bondir tous les trois.

— C'est elle ! s'écria Kevin.

Heidi se précipita sur son portable sans vérifier d'où venait l'appel.

— Allô ?

— C'est toi, Rose Rouge ?

— Oncle Edward !

C'était le Pr Turner.

240

— Je viens de vérifier mes e-mails, et je découvre que ma fille a décidé de nous rendre visite. Nous pensions qu'elle passerait le week-end avec vous !

— Euh, elle devait nous accompagner au Big Bend Park, mais… quelque chose l'a fait changer d'avis.

— Alors, elle doit être dans l'avion parce qu'elle ne répond pas. Et elle ne m'a pas donné le numéro de son vol. Tu le connais peut-être ? Je voudrais aller la chercher à l'aéroport…

Heidi leva un regard affolé sur son mari qui écoutait la conversation avec elle.

— Euh… Il y a un orage, ici, oncle Edward. Les vols ont été retardés. Dana ne le savait probablement pas quand elle t'a envoyé cet e-mail…

— Laisse-moi gérer ça, chérie, dit Randall en lui prenant l'appareil.

Heidi se sentit vraiment soulagée.

— Bonjour, Edward. J'ai suivi votre conversation. Pouvez-vous me dire à quelle heure Dana vous a envoyé ce message ?

— A 7 h 12, exactement. Heure du Texas.

— C'est bien ça : elle ne savait pas que les vols étaient annulés. Quand elle s'en apercevra, je suis sûr qu'elle vous contactera. Si nous avons de ses nouvelles en premier, nous lui dirons de vous rappeler tout de suite pour apaiser vos inquiétudes.

Mais les inquiétudes paternelles n'étaient pas aussi faciles à endormir.

— J'apprécie, Randall. Mais, entre nous, comment se fait-il qu'elle décide de venir à la maison pendant que vous êtes là-bas ? Est-ce qu'elle traverse une mauvaise passe ?

— Non, rassurez-vous, ce n'est pas ce que vous pensez. Ce n'est qu'un petit flottement sentimental.

— Jyce Riley ?

— Oui. Elle doit simplement avoir envie de vous en parler.

— Vous l'avez rencontré ?

— Il est très bien. N'ayez crainte : il ne la décevra pas.

— Merci, Randall. Merci beaucoup. Bonne fin de vacances.

— Merci, Edward. Amitiés à Christine.

Dès qu'il coupa la ligne, Heidi s'agrippa à son bras.

— Randall, où peut-elle bien être ? Je ne supporte pas de rester là à ne rien faire… Si on montait à Cloud Rim ? Elle est peut-être en panne quelque part sur la route, et la batterie de son portable doit être déchargée…

— Oui, allons-y.

Randall voulait rassurer sa femme, mais, à ce stade, il avait beaucoup de mal à ne pas lui-même envisager le pire. Il connaissait les dangers de ce genre d'interventions contre des tueurs armés : le malfrat pouvait réussir à s'échapper dans la confusion, ou bien enlever Dana… Un vrai cataclysme.

De grosses gouttes de pluie charriées par un vent furieux commençaient à s'écraser sur le pare-brise quand ils atteignirent Cloud Rim.

— Whaou, p'pa ! Qu'est-ce qu'ils font là tous ces cars de police ?

— Oh non ! hurla Heidi. Elle n'a pas eu un accident !

Randall lui posa la main sur l'épaule et la pressa doucement.

— Ce n'est qu'un barrage, chérie. Restez là : je vais voir.

242

Bien qu'un officier lui fît signe qu'il ne pouvait pas s'arrêter là, il se gara sur le bas-côté et s'approcha des herses, tout en luttant contre les intempéries. Le vent déchaîné et la pluie de plus en plus drue annonçaient l'orage qui grondait déjà, ponctué d'éclairs encore pâles.

Randall se présenta à ses collègues. Ils connaissaient très bien le 4x4 de Dana, mais ils ne l'avaient pas vu passer, et ils étaient en poste depuis 5 heures du matin.

Tournant le dos à sa famille, Randall téléphona à Pat Hardy. Pourvu que Jyce ne fût pas blessé !

— Shérif ? Randall Poletti. Comment s'est déroulé l'opération ?

— M'en parlez pas ! Ils s'étaient évaporés, cette nuit, au nez et à la barbe de mes gars !

« Dieu merci, pas de carnage ! » songea Randall, tandis que Pat continuait sur sa lancée :

— Le vieux Ralph nous a appris qu'il y avait un souterrain dans sa cave : « le tunnel de la prohibition », comme il l'appelle. Quant à Lewis, il a dû se carapater par les toits. Heureusement, grâce à vous, on avait le filet autour de la grange. Enfin, ils ne s'y sont pas encore montrés, mais on attend de les coincer là-bas. Avec ce qui tombe, ils doivent se planquer quelque part. A mon avis, ils vont rester dans leur cachette jusqu'au moment où ils pourront décoller...

Randall se demandait, sans oser y croire, si Jyce n'avait pas profité d'un moment de battement pour rejoindre Dana quelque part...

— Où est Jyce ? demanda-t-il à Pat.

— Là-bas, à la grange.

La lueur d'espoir n'aurait pas duré longtemps.

— J'ai une mauvaise nouvelle, shérif. Dana Turner a disparu.

Il entendit un juron.

— Elle était à l'observatoire à 7 heures. Sa voiture n'y est plus, et son portable ne répond pas.

— Tonnerre ! C'est le cas de le dire… Bon, ils n'ont pas pu aller bien loin : toutes les routes alentour sont bloquées. Je préviens Jyce, qu'il ramène les troupes dans le secteur.

— Je participe à la battue, shérif. J'y tiens.

— D'accord. Je préviens Jyce.

— O.K. A plus tard.

Randall courut à sa voiture sous une pluie torrentielle.

— Alors ? lui demanda Heidi, le visage livide.

— J'ai discuté avec le shérif.

Il serra un instant la main de sa femme dans la sienne avant de démarrer.

— J'ai besoin que tu sois courageuse, Heidi. On va retrouver Dana. Je te jure qu'on va la retrouver.

— Alors, c'est ça ? Glen l'a enlevée, n'est-ce pas ?

La panique contenue dans sa voix le bouleversa.

— Personne n'est sûr de rien, chérie. Mais je dois t'avouer que le shérif est inquiet : Glen a échappé à la surveillance. La police le recherche…

— Oh non !

Elle éclata en sanglots.

— Il l'a kidnappée… Oh, Randall… Oh, mon Dieu, que va-t-il lui faire ?

— Il ne lui fera pas de mal, chérie, affirma Randall en priant pour ne pas se tromper. Dana est un fantasme pour lui. Je connais ce genre de psychopathes : ils veulent paraître gentils ; ils commencent toujours par essayer d'amadouer leur proie. C'est à la longue qu'ils deviennent violents. Mais ça n'arrivera pas. Jyce ne lui en laissera pas le temps, tu peux lui faire confiance.

Sa femme leva ses yeux de saphir scintillants de larmes.

— Jyce ? Il participe aux recherches ?

— Bien sûr !

Elle hocha simplement la tête, et son regard disait : « Je me doutais de quelque chose », « Tu vas y aller aussi, et j'ai peur pour toi », « J'ai le cœur brisé pour Dana »... Son regard qui en disait tant, et que Randall aimait par-dessus tout.

Il s'arrêta devant Chez Millie, et se tourna vers son fils.

— Tu n'as presque rien mangé, ce matin, mon grand. Qu'est-ce que tu dirais d'un bon chocolat chaud avec des beignets ?

— Est-ce que je peux venir avec toi ? lança Kevin pour toute réponse.

Sacré gamin !

— Non, bonhomme, je suis touché que tu le proposes, mais je préfère que tu tiennes compagnie à Heidi. Quand l'orage sera passé, vous irez m'attendre chez Dana. Mme Watkins t'invitera certainement à jouer sur sa console.

— Il faut que je prévienne les parents de Dana, dit Heidi.

Elle avait raison. Mais quel choc allaient encore subir ces pauvres gens !

Au bout de quelques minutes, Heidi lui tendit l'appareil.

— Tante Christine veut te parler.

— Christine ? Ne vous affolez surtout pas. Ils n'ont pas pu quitter le mont Luna ; nous allons...

— Oui, c'est ce que je voulais vous dire. Il y a une série de grottes où nous allions jouer avec mes cousins... Elles sont presque alignées, sur cette crête pleine de genévriers géants, qui s'étend sur une dizaine de kilomètres. C'est à l'ouest, entre le village et l'observatoire ; on y accède par le sentier coupe-feu...

Où cette femme puisait-elle sa force et sa présence d'esprit ?

— ..., Oh Randall, si ce garçon l'a emmenée là-bas...

La réponse venait d'elle-même. Christine Turner puisait sa force dans son amour de mère. Ils savaient tous que Dana souffrait de claustrophobie.

— On la trouvera, Christine.

— Je vous fais confiance, Randall. A tout à l'heure. Nous prenons le premier avion. Ne vous dérangez pas : nous louerons une voiture à l'arrivée.

Dès qu'elle eut raccroché, Randall rappela le shérif. Pat Hardy était justement en ligne avec Jyce ; ils purent avoir une conversation à trois.

La voix de Jyce semblait venir d'outre-tombe.

14.

La pluie torrentielle noyait toutes les odeurs dans un capiteux parfum d'humus. L'orage empêchait le repérage par hélicoptère, et les chiens n'étaient d'aucune utilité.

Les hommes avaient perdu plus d'une heure à explorer une demi-douzaine de cavernes avant de repérer les malfrats. La crête des genévriers était un véritable gruyère.

Depuis près d'une heure qu'ils l'avaient trouvée, ils guettaient patiemment une occasion d'intervenir.

La grotte se divisait en deux galeries à une quinzaine de mètres de l'entrée. Mason et Burdick retenaient Dana dans la galerie de droite, à environ dix mètres de l'intersection. Ce salopard de Mason la maintenait fermement assise entre ses jambes allongées.

Ils avaient entassé là-dedans un véritable arsenal d'armes de poing et de fusils, et des conserves probablement volées à la supérette : de quoi tenir un siège. Il y avait des lampes à gaz, aussi, mais, par chance, ils ne les avaient pas allumées.

Le commando, positionné à travers la première cavité, attendait les instructions de Jyce, embusqué avec trois hommes dans des renfoncements de chaque côté de la galerie. Les lunettes de nuit leur permettaient de capter le moindre mouvement, autant que la résonance naturelle de l'espace leur permettait de suivre les conversations.

Jyce savait que Dana était terrifiée, mais sa bravoure le soutenait lui-même. Malgré sa terreur, elle arrivait à utiliser son intelligence, et suivait le vieux principe « diviser pour régner » avec une habileté prodigieuse. Tout ça alors qu'elle souffrait de claustrophobie…

Oh, ciel, comme il l'aimait !

Et comme il était bouleversé de l'entendre, dans un moment pareil, déclarer son amour pour lui !

— Je ne peux pas vous épouser, Glen. J'aime un autre homme.

— Ce foutu livreur d'IPS, hein ?

— Oui, ce merveilleux livreur d'IPS.

— Il profite de toi ! Je le laisserai pas faire. Il t'a demandée en mariage, lui ?

— Jyce m'a prouvé ses sentiments. Un kidnapping n'a jamais été une demande en mariage, Glen.

Craignant de perdre son emprise sur Glen, Burdick manifestait, depuis un moment, des signes de nervosité. Enfin, il se leva.

— Vous me pompez l'air, tous les deux ; je vais voir si ce maudit orage est passé.

L'erreur fatale pour lui, la brèche tant attendue pour le groupe d'intervention ! Jyce passa aussitôt le message.

— Burdick sort, dit-il, tout près du micro. Il tient un semi-automatique dans sa main gauche, et une lampe torche dans l'autre. Au signal… Là, il vient de me dépasser. Chopez-le le plus loin possible.

Retenant son souffle, il commença le décompte. Mais il fut très vite déconcerté par Glen qui ne perdait pas une minute pour mettre l'absence du caïd à profit.

— Laisse-moi t'embrasser, Dana. Ne m'oblige pas à te forcer.

Jyce se demanda combien de temps il allait pouvoir se retenir d'étrangler cette vermine. Il serra les poings.

Les bruits feutrés de l'échauffourée qui se déroulait derrière lui se conjuguèrent aux gémissements étouffés de Dana qu'il voyait se débattre.

Les professionnels avaient maîtrisé Burdick sans qu'un coup de feu ne fût échangé, mais, par bonheur, Glen perçut quelque chose, et lâcha Dana.

— Lewis ?

— Glen, laissez-moi me lever, je vous en supplie ! Rien qu'un instant ; j'ai des crampes…

« Bien, Dana. Fais-le bouger. »

— Lewis l'a interdit.

Jyce était dévasté. Plusieurs minutes d'agonie s'écoulèrent dans l'attente du prochain mouvement. Le spectacle qu'il avait sous les yeux le déchirait, mais tant que Mason avait cette arme à portée de main, il était impossible d'intervenir sans mettre la vie de Dana en danger.

— Je crois que Lewis ne va pas revenir, Glen. Il vous lâche.

— Ça m'étonnerait ! Il ne partirait pas sans les sacs.

— Les fameux sacs dont vous parliez tous les deux ?

Mason les balaya d'un furtif faisceau de sa lampe torche.

— Oui, ils sont là, Glen, reprit la jeune femme. Mais êtes-vous certain que l'argent s'y trouve toujours ?

« Quelle intelligence ! »

— Essaye pas de m'embrouiller, hein ! Lewis, c'est mon pote.

— Alors, pourquoi est-ce qu'il ne revient pas ?

— Il regarde le ciel, pour savoir dans combien de temps on pourra décoller.

— Quand il y a un million de dollars en jeu, les amitiés peuvent flancher, Glen. A votre place, j'irais vérifier.

— Tu dis ça parce que tu veux bouger.

— C'est vrai. J'aurais besoin de marcher un peu. Je vous promets d'être sage. Vous me tiendrez par la taille, si vous voulez.

Jyce sentit qu'elle parvenait à ses fins. Il échangea un signal avec ses trois compagnons embusqués.

— O.K. Tu te lèves la première. Mais pas de blague, hein, sinon...

Resserrant sa prise sur elle, il ramassa son arme, et lui posa le canon sur la tempe pour se faire clairement comprendre avant de la laisser aller.

— Ou-oui..., dit-elle d'une voix haletante, en se levant tout doucement. Vous... voulez bien allumer la lampe, par terre, pour qu'on y voie un peu clair ?

Et, à cet instant, Jyce la vit pivoter et lancer à son geôlier un coup de pied dans le poignet qui lui arracha la lampe des mains.

Sans perdre un instant, il se rua sur Mason, le plaquant au sol en envoyant son arme valdinguer.

Le coup partit, ricochant contre la paroi.

Dana se mit à hurler.

Jyce lutta, dans le noir et la confusion la plus totale, avec le pervers qui se débattait comme un diable à la recherche de son arme. Bientôt, les cris de Dana cessèrent, ce qui signifiait qu'elle avait atteint l'air libre. Les hommes du commando la confiaient aux brigadiers de soutien.

En dépit de la force étonnante que déployait le gringalet, Jyce le fit rouler à travers le sol rocailleux de la grotte, comme un crocodile secouant sa proie. Puis, en une fraction de seconde, ses coéquipiers, accourus à la rescousse, immobilisèrent le forcené, poignets et chevilles, puis le retournèrent comme une crêpe pour le menotter.

Quelques instants plus tard, un essaim de policiers envahissait la caverne en répandant une lumière éblouissante.

Voyant qui l'avait arrêté, Glen Mason rejeta en arrière sa tête échevelée.

— Vous !

— Exact, Mason. Votre ami d'IPS.

— Vous êtes pas livreur ?

— Encore exact. Vous auriez dû suivre le conseil de Dana quand elle vous a demandé de la laisser tranquille. Kidnapping, vol à main armée, assassinat : vous plongez à vie, Mason.

— J'ai tué personne ! C'est pas moi, c'est Lewis ! C'est lui qu'a tué le pilote ! Il m'a obligé à le jeter, je voulais pas ! Même qu'on s'est engueulés parce que je voulais pas y toucher !

Voilà qui expliquait pourquoi le corps avait été retrouvé dans les Davis Mountains, éjecté à la dernière minute.

— Et pour la caméra, c'est Lewis qui t'a obligé ?

— Oui ! C'est lui qu'a la cassette dans son sac à dos !

Jyce poussa un profond soupir.

— Tu voudrais me faire croire qu'il n'y en avait qu'une ?

— J'vous jure. L'autre, vous l'avez prise.

— Et il n'y en avait que deux ? demanda encore Jyce de son ton le plus menaçant.

Le mousquetaire se ratatina.

— L'autre a pas servi. Je l'ai balancée à la décharge. Je vous jure qu'y en avait que trois…

— T'iras raconter ça au juge.

Sans rien ajouter, Jyce se tourna vers les officiers.

— Récitez-lui ses droits, et ôtez-le de ma vue.

— Dana ?

Elle avait cherché Jyce des yeux parmi les policiers qui l'avaient extraite de l'enfer, mais la seule voix familière qu'elle reconnût fut celle de Randall.

Après avoir remercié ses sauveurs, elle se précipita dans les bras tendus de son ami.

Tandis qu'il la serrait contre lui, elle eut l'impression que toute sa tension se relâchait. Elle se sentait tellement soulagée et reconnaissante qu'elle n'arrivait même pas à trouver ses mots.

Ç'avait été pire qu'en prison : elle avait craint de mourir d'asphyxie sans jamais revoir la lumière du jour.

— Le cauchemar est fini, Dana. Glen va être jugé. Il ne sera plus une menace pour personne.

— J'ai eu si peur d'étouffer... Je pensais mourir sans vous avoir dit combien je vous aime, tous...

— Tu es sauvée, maintenant.

— Randall, tu n'as pas prévenu Jyce ? Il faut que je lui parle...

— Il est ici, Dana, dans la grotte. Mais il est occupé avec le FBI ; il viendra te retrouver dès qu'il pourra.

Elle se détacha de Randall, les yeux écarquillés.

— Le FBI est impliqué ?

Randall hésita un instant.

— Il s'avère que Lewis Burdick est fiché sur leur liste du grand banditisme, dit-il enfin. Glen et Burdick sont deux gangsters recherchés. Glen est un évadé de prison.

— Oh, mon Dieu, son pauvre grand-père doit être désespéré !

— Il est entouré, Dana. Il est pris en charge par la cellule de soutien psychologique. On passera le voir demain, mais, dans l'immédiat, j'aimerais rassurer Heidi. Elle m'attend à la maison, et elle m'a interdit de revenir sans toi.

Dana posa le front contre le torse de Randall.

— Tu dois en avoir par-dessus la tête de moi ! lui dit-elle, entre le rire et les larmes. Tu n'arrêtes pas de me sauver du désastre.

Il lui souleva le menton, et la regarda au fond des yeux.

— Tu n'es absolument pas fautive, bébé. Tu viens de traverser une période particulièrement difficile, et je sais, de source sûre, que ton ciel est en train de changer.

— Je l'espère, sinon je vais devoir me promener avec une pancarte : « Attention, danger ambulant — N'approchez pas, à vos risques et périls » !

Randall essuya les larmes qui coulaient sur le visage de son amie.

— Cesse de dire des bêtises, et rentrons. Quelqu'un te rapportera ta voiture plus tard, et un capitaine viendra prendre ta déposition. Pour l'instant, le chef de brigade t'a mise sous ma protection. Qu'en penses-tu ?

— Tu le sais, ce que j'en pense…

Randall la prit étroitement par le bras pour descendre la pente détrempée.

Le vent s'était apaisé, le temps n'était plus que gris et maussade, mais il avait dû pleuvoir à verse pendant tout le temps qu'elle avait passé dans la grotte. Les branches cassées, le paysage déchiqueté, les voitures de police, les hommes en uniforme avec des talkies-walkies donnaient une impression de champ de bataille.

Ce fut seulement dans la voiture, quand Randall alluma le tableau de bord, que Dana retrouva la notion du temps.

— Il est 16 heures ! dit-elle d'un air effaré.

— Tu dois être affamée, dit-il en manœuvrant pour se dégager de l'enchevêtrement de véhicules groupés autour du sentier.

— Je ne sais pas, j'ai tenu sur les nerfs… J'ai surtout l'estomac noué à cause de Jyce. Il est muté dans un autre secteur… J'ai peur que ma mésaventure ne l'incite pas du tout à revenir…

— D'après ce que je sais, il n'est pas muté très loin, déclara Randall.

— Qu'est-ce que tu sais, exactement ?

— Je crois qu'il préférera te le dire lui-même.

Tout en méditant ce commentaire, Dana glissa dans un état de semi-torpeur dans lequel elle resta jusqu'à leur arrivée à l'appartement.

Avant même qu'elle fût sortie de voiture, Heidi se précipita pour la prendre dans ses bras.

— Oh ! Dana, Dana, si quelque chose t'était arrivé…

Et, soudain, ce fut Dana qui dut réconforter son amie sanglotant sur son épaule.

Jyce n'entendait plus le brouhaha alentour. Il était resté concentré jusqu'à ce que Dana fût sauvée, mais, rétrospectivement, il ressentait une frayeur indescriptible.

Il avait la cassette. La serrant dans ses mains comme un objet infiniment précieux, il ne pouvait s'empêcher d'imaginer ce que Dana aurait subi s'il ne s'était pas acharné à poursuivre les assassins de Gibb, s'il n'avait pas fait le plein d'essence au bon moment à la station-service de Fort Davis, si la voiture de Tony Roberts n'était pas tombée en panne, et si…

— Tu l'as récupérée ?

La voix de Pat le ramena sur terre, et il se sentit épuisé, physiquement et psychologiquement.

— Oui. Et, pour une fois, le FBI a été sympa. Ils ont assez de charges pour les faire plonger : ils m'ont fait grâce du voyeurisme. Il n'y a plus qu'à brûler ces saletés.

Jyce avait eu si peur de ne pas pouvoir protéger Dana de cette terrible humiliation…

— Les bonnes nouvelles s'accumulent, dit Pat. Tom vient de m'annoncer que la bringue avait déjà commencé à Austin. Demain, tu auras ta photo dans tous les journaux… Alors, à quoi rime cette tête d'enterrement ? C'est fini, Jyce. Dana est à la maison ; Randall et sa femme la dorlotent. Tu as réussi !

Jyce fit l'effort de sourire.

— *Nous* avons réussi, Pat. Sans ton appui, je ne serais arrivé à rien.

— On a formé une bonne équipe, hein ?

Ils s'étreignirent brièvement, avec beaucoup d'émotion.

— Je te parie que notre vieux Gibb nous sourit, de là-haut ! Je l'entends d'ici, en train de dire : « Je savais que je pouvais compter sur toi, Riley ! »

— Tu crois ? dit Jyce d'une voix rauque.

Ses yeux s'embuaient.

— Quelqu'un a dit à Dana que je n'étais pas livreur ?

— Non. Randall avait passé le mot. A mon avis, elle ne sait même pas que tu as participé à l'opération de sauvetage, encore moins que tu l'as dirigée.

Jyce se sentit soudain oppressé.

Pat l'observait avec la bonhomie paternelle que sa soixantaine d'années lui autorisait.

— Qu'est-ce qui t'inquiète ?

— Je crains qu'elle ait vu assez d'uniformes pour le reste de sa vie.

— Alors là ! Tu ne l'as pas vue sauter au cou des flics quand elle a été libérée de ce traquenard ! Crois-moi : elle ne t'en aimera que plus quand elle découvrira que c'était toi son sauveur !

— Je suis responsable du fiasco, Pat. J'aurais dû la protéger, et je l'ai mise en danger.

Le shérif lui lança une bourrade.

— Ne la mésestime pas, Jyce. Ce n'est pas une femme qui reste prisonnière de ses frayeurs passées. D'après ce que j'ai entendu, c'est une sacrée battante. Son coup de pied à Mason restera inscrit dans les annales, ici, tu peux me croire !

Pat voyait toujours le verre à moitié plein. D'ordinaire, Jyce était plutôt optimiste, lui aussi, mais...

— Des vraies vacances, voilà ce qu'il te faut ! lança Pat. J'ai, d'ailleurs, un message de Tom à te transmettre : il te donne trois semaines de congé. Il ne veut pas te voir au Q.G. avant fin août.

Jyce le regarda en plissant les yeux d'un air suspicieux.

— C'est à toi que je dois cette faveur ?

— Je n'y suis absolument pour rien, fiston. Il paraît que tu n'as jamais débrayé depuis le décès de ta femme. Haster m'a dit qu'avec ton retard à rattraper, il te devait au moins sept mois.

Jyce sentait bien à quel point il était fatigué, mais qu'allait-il faire de trois semaines de vacances si Dana le rejetait ?

Dieu qu'il avait peur de la perdre !

Il n'avait jamais ressenti une telle panique, même dans les moments les plus dangereux de son métier.

Après s'être douché et changé, Jyce quitta son appartement pour remonter à Cloud Rim. Il était plus de 18 heures et, comme il mourait de faim, il s'arrêta à la sortie d'Alpine pour avaler un hamburger et une bière sans alcool. Après cinquante heures de travail quasi-ininterrompu, son organisme avait besoin de carburant pour tenir encore un peu.

Il s'écroulerait plus tard. Mais pas avant d'avoir vu Dana.

La voiture de Randall dans la cour des Watkins lui rappela qu'il n'était pas seul à souffrir du manque de sommeil. Quel week-end pour la famille Poletti !

Jyce se gara à côté. Puis il contourna le ranch pour gagner l'appartement et, lorsqu'il sonna à la porte, son émotion était telle qu'il craignait de défaillir.

Dana ouvrit à la volée avant qu'il pût reprendre son souffle.

Seigneur. Elle était si belle !

Jyce ne put que rester cloué sur place, à la regarder. Elle portait une robe bleue discrètement fleurie. Ses cheveux ondulaient en vagues souples et soyeuses autour de son visage. Celui qui ne l'avait pas vue de ses propres yeux, au fond de cette caverne, se retourner contre son agresseur, n'aurait jamais pu deviner ce qu'elle venait de traverser.

— Jyce.

Il l'attira dans ses bras.

— Dana…

Ce fut tout ce qu'ils parvinrent à dire avant que le désir leur imposât sa loi. Leurs bouches, leurs corps se scellèrent avec une fièvre réciproque.

Le danger auquel Dana venait d'échapper avait laissé en elle un fort impact émotif qui était encore à fleur de peau.

Ils tremblaient tous les deux du même amour éperdu, de la même frayeur rétrospective.

A sa façon, chacun avait eu peur de perdre l'autre.

Il la serra contre lui.

— Dieu merci, tu es saine et sauve.

— Randall dit que tu étais là-bas. Je t'ai cherché, mais je ne t'ai pas vu… Oh ! Jyce…

— Je suis là, maintenant, murmura-t-il contre ses lèvres.

Les explications pouvaient attendre un peu.

— Laisse-moi seulement t'embrasser, te sentir dans mes bras, te tenir encore, m'assurer que je ne rêve pas.

Dans l'euphorie éperdue de l'instant, il n'entendit pas la voiture monter l'allée. Ce fut seulement quand les portières claquèrent devant le garage que Jyce reprit conscience de son environnement.

Dana voulut s'arracher à sa bouche et à ses bras.

— Mes parents, dit-elle simplement.

Avec un profond soupir, Jyce relâcha son étreinte.

Au même moment, les Poletti sortirent pour accueillir leurs visiteurs et, comme Furet sautait sur tout le monde en jappant de joie, la cacophonie fut telle que Jyce eut le temps de retrouver une contenance.

Il se tint en retrait, assistant aux rires et aux larmes de joie, aux questions et aux réponses qui aidaient Dana à évacuer le traumatisme. Puis elle se tourna vers lui, et lui dit en souriant :

— Viens que je te présente mes parents. Maman, papa, voici Jyce. Jyce Riley, le livreur d'IPS dont je vous ai tant parlé. Il a aidé la police à me rechercher, avec Randall.

Jyce serra chaleureusement les mains qu'on lui tendait.

— C'est un privilège de vous rencontrer, dit-il.

258

— Nous étions impatients de vous connaître, nous aussi, assura Mme Turner. Dana ne tarit pas d'éloges sur vous.

Jyce sentit que c'était le moment ou jamais de se lancer dans une véritable explication.

— J'en suis heureux, dit-il, même si vous ne savez pas vraiment tout sur moi. Ce n'est pas la faute de Dana : elle ignore elle-même quel est mon véritable métier.

Les grands yeux d'aigue-marine s'écarquillèrent, et plongèrent dans les siens

— Rentrons, que je vous explique tout ça, suggéra-t-il.

A partir de là, il n'allait plus pouvoir respirer tant qu'il ne connaîtrait pas la réaction de Dana, face à la vérité.

Et si c'était une réaction horrifiée ?... « Tu ramperas, Riley, mais ne te plains pas : tu auras trois semaines de vacances pour tâcher de la convaincre. »

Pendant que la jeune femme s'asseyait sur le bord du canapé en tenant la main de son père, Heidi s'empressait à la ronde, jouant les hôtesses, apportant boissons et biscuits à grignoter.

Quand ils furent tous installés, Jyce, qui était le seul à rester debout, bien campé sur ses jambes, croisa le regard de Randall. Son ami lui adressa un clin d'œil encourageant.

Jyce lui sourit imperceptiblement, puis se tourna pour plonger les yeux dans ceux de Dana.

— La première fois que j'ai frappé à ta porte, commença-t-il, tu as été effrayée. Tu m'as dit, plus tard, que tu m'avais pris pour un Texas ranger venu t'apporter un mandat d'arrêt.

— Chérie ! s'écria sa mère en s'agitant sur le canapé. Qu'est-ce qui t'a donné cette idée saugrenue ?

— Rien, maman. C'est parce que je suis encore marquée par la prison, mais ça passera, je te le promets.

Son père lui tapota la main.

Après une courte pause, Jyce poursuivit :

— Tu avais en partie raison, Dana. J'avais troqué mon uniforme de policier contre une tenue de livreur parce que j'étais en mission secrète. Je ne pouvais rien te dévoiler et, crois-moi, j'avais hâte d'en finir avec ce mensonge. Ma mission s'est terminée aujourd'hui. Permets-moi de me présenter en bonne et due forme. Capitaine Riley, des Texas rangers, basé à Austin.

Il put mesurer le choc que sa révélation avait provoquée, mais sans pouvoir en déceler les nuances. Acceptation ou rejet ? Impossible à dire. Quand il s'avança pour tendre sa carte d'identification, ce fut le père de Dana qui la prit. Elle, elle semblait tétanisée.

— J'avais, effectivement, un mandat, reprit-il. Et même deux. Pour arrêter deux criminels coupables d'une attaque à main armée perpétrée en décembre dernier…

Au fur et à mesure qu'il racontait l'histoire, Heidi considérait son mari avec des mimiques qui en disaient long sur l'admiration qu'elle lui portait.

— Je le sentais ! s'exclama-t-elle. A la seconde où vous êtes revenus tous les deux de la caravane, j'ai su qu'il se passait quelque chose d'anormal. L'attitude de Randall à votre égard était tellement extraordinaire !

— Oh ouais, p'pa, moi aussi ! lança Kevin. Je t'ai jamais vu changer comme ça avec quelqu'un !

— Ton papa n'est pas détective pour rien, Kevin. Il avait flairé une imposture : il était prêt à m'écharper. J'ai été obligé de tout lui dire pour ne pas être réduit en miettes. Et je lui dois beaucoup dans le dénouement de cette affaire.

Dana ne bougeait toujours pas. Elle se contentait de regarder fixement Jyce d'un air hésitant et quelque peu incrédule.

— J'ai voulu te protéger, Dana, dit-il. J'ai échoué. Je pensais que tu serais à l'abri, ici. J'aurais dû faire surveiller en permanence l'appartement et l'observatoire… Pourras-tu me pardonner, Dana ?… Monsieur et madame Turner… ?

D'un air médusé, Dana l'écouta exprimer ses remords à ses parents. Il venait de décrire un scénario terrifiant, sorti tout droit d'un thriller psychologique. Grâce à Dieu, ils en étaient sortis tous deux vivants, et ça tenait presque du miracle. Mais Jyce oubliait de dire l'essentiel, c'est-à-dire ce qu'elle était elle-même en train comprendre…

C'était *lui* qui avait terrassé Glen sur le sol de la grotte !

Son cœur de glaça.

— Un coup de feu a éclaté ! Tu aurais pu être tué !

— Non, Dana. Nous, on avait des gilets pare-balles. Pas toi ! Si tu savais comme j'ai tremblé…

Elle se leva d'un bond, et se précipita vers lui pour lui sauter au cou et le serrer dans ses bras de toute son âme.

— C'est toi qui m'as sauvée ! Oh, Jyce…

— Tu as beaucoup contribué à ce sauvetage, Dana Turner. Les hommes t'ont admirée, crois-moi. Et je ne parle pas seulement de ce coup de karaté qui ne serait pas mieux tombé si je l'avais programmé moi-même.

Maintenant, les beaux yeux chocolat noir de Jyce souriaient. Dana ressentit leur chaleur dans tout son corps.

Puis sa mère se leva à son tour pour étreindre le héros.

— Merci d'avoir sauvé notre fille.

Son père n'était pas loin derrière. Il prit la main de Jyce pour la secouer avec ferveur.

— Nous ne vous remercierons jamais assez.

— C'est moi qui vous remercie de votre indulgence, dit-il. Je m'en veux d'autant plus que je ne comprends pas ce qui s'est passé. Comment ont-ils pu deviner qu'ils étaient encerclés ?

— Moi je le sais, Jyce ! lança Dana.

Toutes les têtes se tournèrent vers elle.

— Lewis n'a pas cessé de reprocher à Glen le fait que son grand-père m'ait parlé de la grange, hier matin. Ils n'ont pas *deviné* qu'ils étaient encerclés : ils ont pris les devants par crainte que cela arrive.

Randall se leva à son tour.

— Tu veux certainement consigner la déclaration de Dana pendant que sa mémoire est encore fraîche, Jyce. Nous allons vous laisser. En route, la troupe !

— Nous partons aussi, annonça le père de la jeune femme. La journée a été éprouvante, mais tout se termine au mieux, n'est-ce pas, fillette ?

Dana embrassa ses parents, puis Heidi.

— On se retrouve demain matin pour le petit déjeuner ? Disons… à 9 heures ?

— Disons plutôt un brunch, à midi, chez Millie ! corrigea Randall. Ça me paraît nettement plus raisonnable.

Puis Dana se retrouva dans les bras de Kevin.

— Je suis content que tu ailles bien, Dana.

— Moi aussi.

Furet aboya comme pour mettre son grain de sel.

Tout le monde riait en sortant.

Mais, tandis qu'elle refermait la porte, Dana sentit son cœur battre comme un tam-tam frénétique. Elle était enfin seule avec Jyce.

— Tu as des parents formidables, lui dit-il.

— Je sais. Merci de me le dire.

Elle se tourna vers lui, avec l'intention de se blottir dans ses bras, mais il l'embrassa sans passion apparente, et ne prit même pas ses lèvres.

— Si on allait s'asseoir dans la cuisine, pour que j'enregistre ta déclaration sur le vif, comme le suggérait Randall ?

Il sortit un petit magnétophone de sa poche.

Dana se rappela qu'à certains moments, il lui avait rappelé Randall, par ses attitudes, mais la similitude n'avait jamais été aussi flagrante qu'en cet instant.

Elle intégra alors totalement le fait qu'il était le capitaine Jyce Riley des Texas rangers d'Austin.

Pendant l'interrogatoire, il se montra extrêmement concentré, puis il mit fin à l'enregistrement en déclarant : « Merci, tu nous as donné de précieuses informations. »

Alors, tout à coup, Dana se sentit complètement misérable.

— Ça veut dire que tu dois partir ? demanda-t-elle sans pouvoir maîtriser le tremblement de sa voix.

15.

— C'est ce que tu désires ?

— Non ! s'écria-t-elle. C'est simplement que... tu dois avoir mille choses à faire, après une opération de cette envergure

Il se leva soudain, et elle l'imita.

Il avait les traits tirés ; il paraissait épuisé. Rien d'étonnant à cela : il en était à sa deuxième nuit blanche.

Elle le prit par la main, et l'entraîna vers le salon.

— Viens t'allonger sur le canapé.

— Dana, je ne crois pas que...

— Jyce, tu dois absolument te reposer.

— Juste une minute, alors. On doit parler, toi et moi.

Ce ne fut pas une minute. Le capitaine Jyce Riley sombra dans les bras de Morphée à l'instant même où il s'allongeait sur le canapé.

Dana courut chercher son dessus-de-lit et un oreiller qu'elle lui glissa sous la tête sans même le réveiller.

Puis elle éteignit les lumières, et approcha un fauteuil du canapé.

Enfin, elle se détendit. Elle se sentait envahie par une sensation de joie paisible, de bien-être inexprimable. Comme si elle avait enfin trouvé sa place dans ce monde.

Elle alluma la télévision en sourdine. Le journal de 20 heures était passé. Elle survola les chaînes pour s'arrêter sur celle des infos permanentes, qui affichait *Spéciales Dernières*.

La présentatrice relatait justement les événements survenus à Austin : « ... Les deux gangsters recherchés depuis Noël dernier sont, ce soir, en garde à vue. Ils ont été appréhendés lors d'une opération conduite par le ranger capitaine Jyce Riley, dans les Davis Mountains du Texas de l'Ouest où ils avaient kidnappé une femme dont l'identité n'a pas été révélée. Elle a été libérée saine et sauve. Le million de dollars a été retrouvé... Tournons-nous maintenant vers Spokane, Washington. Un lycéen qui... »

Dana éteignit. Elle repoussa le fauteuil et la table, alla se préparer pour la nuit, et revint avec son sac de couchage et une pile de couvertures qu'elle installa au pied du canapé. Elle voulait être le plus près possible de son guerrier endormi.

Le cœur gonflé de bonheur et de tendresse, elle le contempla encore, ce héros qui avait combattu en secret pendant des jours pour la protéger de Glen Mason, et qui avait risqué sa vie pour sauver la sienne.

Il dormait comme une masse. A peine devinait-on le lent mouvement de sa respiration... Dana ne sut jamais à quel moment le sommeil l'emporta à son tour.

Quand elle rouvrit les yeux, la lumière du jour inondait le salon.

En levant le bras pour consulter sa montre, elle effleura une main qui pendait dans le vide.

Le contact leur fit tourner la tête à tous les deux.

A l'instant où il la vit, Jyce s'empara de sa main et noua ses doigts aux siens.

Le cœur palpitant, elle captura son regard.

— Bonjour, capitaine.

— Bonjour, murmura-t-il. Tu as dormi toute la nuit à côté de moi ?

— Hmm. Dès que tu t'es allongé sur le canapé, tu as sombré dans le sommeil. J'ai préféré rester près de toi, au cas où tu aurais besoin de quelque chose.

Il lui sourit tendrement.

— Tu as été kidnappée, hier. C'est moi qui aurais dû veiller sur toi.

Dana s'efforça de graver cet instant dans sa mémoire. Elle le trouvait magique et délicieux. Les cheveux ébouriffés de Jyce, l'ombre à peine perceptible de sa barbe, ses yeux de braise… Il lui faisait penser à un pirate.

— J'ai dormi somptueusement, déclara-t-elle. Et il me semble même que… je suis guérie de ma claustrophobie.

Jyce avait encore du mal à se détendre tout à fait.

— Je n'aurais jamais dû permettre qu'il t'enlève, dit-il.

Elle décida qu'il était temps de tester la philosophie de Randall, selon lequel un homme ne déteste pas être supplié par la femme qu'il aime.

Elle regarda Jyce droit dans les yeux.

— Je croyais que nous avions dépassé ce problème. Si Glen Mason n'avait pas existé, nos orbites ne se seraient jamais croisées. Comment pourrais-je le regretter ?

— J'ai pensé la même chose à propos de Tony Roberts.

— Ils ont parlé de toi, hier, aux infos, poursuivit-elle avec plus d'audace. J'ai eu l'impression que mon fantasme se réalisait.

Il pencha la tête.

— Raconte !

— Tu sais que je partage pratiquement tout avec Heidi, depuis l'enfance… Je ne te dis pas ma jalousie, quand elle a mis le grappin sur ce fabuleux détective qui est tombé fou amoureux d'elle. Après la première visite qu'il m'a faite en prison — pour lui faire plaisir, parce qu'il ne pouvait rien lui refuser —, je suis rentrée m'allonger dans ma cellule en imaginant que la même chose m'arrivait : le flic de mes rêves entrait dans ma vie, m'emportait, me protégeait et m'aimait comme Randall aimait Heidi…

Jyce resserra sa main sur la sienne sans même s'en apercevoir.

— Je croyais que tu détestais les uniformes.

— C'était une réaction de peur après mon arrestation et les mois que j'ai passés en prison. Mais, hier, en entendant cette présentatrice déclarer au monde que le capitaine Jyce Riley avait sauvé une femme kidnappée… je me suis sentie rattrapée par la réalité : j'ai pris pleinement conscience qu'elle parlait de toi, et de moi… qu'un vrai Texas ranger en chair et en os était venu à mon secours, comme je l'avais imaginé dans mes rêves…

Elle se souleva pour être tout près de lui.

— … que ce grand héros magnifique, avec les plus beaux yeux du monde, risquait sa vie chaque jour, pas seulement pour moi, mais pour tous les gens vulnérables, menacés par les Glen Mason et les Lewis Burdick.

Elle planta un baiser sur son épaule, à travers le tissu de sa chemise froissée.

— Est-ce que tu sais, au moins, à quel point je t'admire, Jyce Riley ? Tu n'as pas accompli un exploit spécialement pour moi. La semaine prochaine, le mois prochain, l'année prochaine, tu seras en train de sauver d'autres vies, tu t'exposeras au danger pour protéger des innocents.

Les larmes lui picotaient les yeux.

— Je suis si fière du métier que tu as choisi, Jyce ! J'ai lu le même respect dans les yeux de mes parents, hier soir.

— Dana, il y a une différence entre admirer mon métier et pouvoir vivre avec.

— Le seul obstacle avec lequel je ne pourrais pas vivre, Jyce, ce serait un fantôme. Un fantôme qui s'interposerait entre nous.

Il lui montra sa main en agitant les doigts.

Depuis quand ne portait-il plus son alliance ?

— Je l'ai retirée après notre nuit à la belle étoile, répondit-il à sa question muette. Tu n'es pas très observatrice, mademoiselle l'astronome, dit-il avec un tendre sourire. Je t'avais prévenue que ton attraction m'avait arraché à mon ellipse, et que la collision produirait un impact de cent mille bombes H.

Elle le regarda, abasourdie. Non seulement il citait l'exacte mesure de puissance d'un E.G.A. dans la rare occasion où l'astéroïde s'écrasait, mais, en plus, il avait appris que son orbite était elliptique.

— Comment sais-tu ça ?

— J'ai mes sources.

Puis il cessa brusquement de sourire, et afficha un air grave.

— Seulement, je sais aussi que tu as envie d'avoir un bébé.

— Bien sûr que j'en veux ! Même trois ou quatre, répondit Dana d'une voix douce. Pas toi ?

— Je ne peux pas t'en donner.

Sa voix était chargée d'une douleur indicible.

— As-tu des difficultés à envisager l'adoption ?

— Aucune. Mais je suis un homme.

— Ça ne fait pas de différence. J'ai toujours eu l'intention d'adopter un enfant abandonné. C'est ce que je désire le plus au monde.

Il se redressa, en plongea les yeux dans les siens, comme s'il cherchait à lire au fond de son cœur.

— Tu penses sincèrement ce que tu viens de dire, Dana ?

— Demande à Heidi : elle te le confirmera. J'ai sérieusement envisagé d'adopter la petite Rosita.

— Oh, Dana…

— L'important, c'est d'avoir des enfants à aimer, Jyce.

Dans son ardeur désespérée à le convaincre que sa stérilité ne changeait rien entre eux, elle s'empara de sa bouche, et l'entraîna par terre, sur sa couchette de fortune.

La sonnerie du téléphone ne pouvait pas tomber plus mal, mais impossible de l'ignorer.

— Ça doit être ma mère. Je reviens tout de suite. En attendant, je t'interdis de bouger.

Elle l'embrassa encore avant de courir chercher le téléphone dans la cuisine.

— Dana ? Randall.

— Bonjour ! Vous avez bien dormi ?

Seigneur, c'était le plus merveilleux matin de sa vie !

— Tu as l'air bien joyeux, lança Randall d'une voix taquine.

— Tu es très en dessous de la vérité, détective Poletti.

— Tant mieux ! J'en suis ravi… Ecoute, avant d'aller chez Millie, nous avons fait un crochet jusqu'au ranch. Ralph est désespéré. Est-ce que tu pourrais passer le voir ?

— On arrive tout de suite ! lança-t-elle.

— Très bien : on vous attend.

— Où allons-nous ? demanda Jyce, qui était resté sagement allongé sur les couvertures en désordre.

— Voir Ralph. Prends la salle de bains le premier. Il y a une brosse à dents neuve dans l'armoire de toilette.

— Je croyais que tu m'avais interdit de bouger.

Cet homme était irrésistible.

— Oui, mais…

— Le devoir d'abord, c'est ça ? Mais n'oublie pas que tu ne perds rien pour attendre.

Un homme qu'ils ne connaissaient pas leur ouvrit la porte. Ils apprirent bientôt qu'il s'agissait d'un neveu de Ralph et qu'il venait d'arriver avec sa femme. Dana se sentit soulagée de savoir que le vieil homme était entouré de sa famille.

Mais elle l'entendit pleurer en entrant dans le salon, et elle en eut le cœur déchiré.

Le visage de Heidi reflétait un sentiment analogue, et même Furet, comme s'il était sensible à la tristesse ambiante, s'était couché en posant la tête sur les pieds du vieil homme.

Dana quitta le bras de Jyce pour aller s'asseoir à côté de lui sur le canapé.

— Monsieur Mason ?

Il leva la tête vers elle.

— Dana… Comme c'est généreux d'être venue… Ce que Glen vous a fait, je… je ne trouve pas la force d'en parler…

— N'essayez pas, monsieur Mason. C'est fini, je vais bien. Glen ne m'a pas fait de mal, je veux que vous le sachiez.

Le vieil homme soupira lourdement.

— Mon fils l'a abandonné, et ce petit est devenu un criminel.

— Votre fils ne peut pas avoir tous les torts, monsieur Mason. La maman de Glen a aussi sa part de responsabilité. Ce garçon est en mal d'affection. Il a tout simplement manqué d'amour.

Ralph s'essuya les yeux avec son grand mouchoir.

— Vous êtes bonne, Dana. Mais je ne parviens pas à chasser ma culpabilité... Où avons-nous échoué, ma femme et moi ?

— Mes parents se sont posé la même question à propos de ma sœur, Mary.

Il posa sur elle ses yeux noyés, presque incolores.

— Vous avez une sœur ?

— Elle est morte l'année dernière.

Et, comme on raconte une histoire édifiante à un enfant pour lui donner des références, Dana raconta la sienne au vieillard effondré.

— Si Randall n'avait pas ordonné une exhumation pour autopsie, nous n'aurions jamais su que le comportement irrationnel de Mary était dû à une tumeur au cerveau, conclut-elle. Je ne dis pas que votre fils ait souffert du même mal, mais juste qu'il peut exister une explication physiologique à son comportement.

— Merci, Dana. Merci d'essayer de me réconforter.

— Je suis sûre que vous avez fait de votre mieux, autant pour votre fils que pour votre petit-fils, mais vous étiez impuissant à les rendre heureux.

Il prit la main de la jeune femme entre les siennes, toutes ridées, presque paralysées par l'arthrite.

— J'ai été fou de rêver d'une belle-fille comme vous, n'est-ce pas ?

— Je suis très honorée que vous l'ayez fait, Ralph.

— Et comment se fait-il que vous ne soyez pas encore mariée ?

— Ça ne va plus tarder, déclara Jyce d'un ton déterminé, en les rejoignant sur le canapé.

Il glissa un bras possessif autour des épaules de Dana.

— Nous allons nous marier dès que nous serons passés à Austin voir mes parents.

Heureusement qu'il la tenait, sinon Dana se serait évanouie de joie.

— Je suis content pour vous deux ! dit Ralph. Cela veut dire que vous resterez à Cloud Rim ?

— Nous n'avons encore rien décidé, mais, quoi qu'il en soit, nous vous rendrons visite très souvent, déclara Jyce.

— Oh oui, s'il vous plaît ! Vous allégeriez ma peine.

Aussitôt qu'ils eurent pris congé, Dana sentit le bras de Heidi s'accrocher au sien pour l'entraîner vers la sortie avant les hommes.

Arrivées au bout de l'allée, elles se regardèrent, puis se jetèrent dans les bras l'une de l'autre en poussant des cris de joie. Furet participa, bien sûr, à l'expression du bonheur, comme il l'avait fait avec le chagrin.

— C'est magnifique, Dana ! Tu vas te marier ! Quand te l'a-t-il demandé ? Pourquoi tu ne m'as pas appelée ?

Dana secoua la tête.

— Je viens de l'apprendre en même temps que toi.

— La *vaaaache* ! comme dirait Kevin. Tu te rends compte ? Si vous vous y mettez tout de suite, tu peux avoir un bébé en même temps que moi.

Dana esquissa un sourire entendu.

— Peut-être pas le même jour.

Comme elle prononçait ces mots, elle sentit deux bras puissants lui encercler la taille.

— Est-ce que j'interromps des messes basses ? murmura Jyce contre son cou.

Dana lui lança un long regard lascif.

— Je disais simplement à Heidi que je serais bientôt aussi heureuse qu'elle.

Il la prit dans ses bras.

— Je t'aime, Dana.

— Je t'aime, Jyce. Depuis toujours.

— Et c'est maintenant que tu me le dis !

Dana enfouit son visage contre le torse de Jyce.

— Pourquoi vous n'iriez pas vous marier à Las Vegas ? Comme ça, vous n'auriez pas à attendre... C'est ce qu'on a fait, Randall et moi : c'était magique ! lança Heidi en s'éloignant.

— Tu sais quoi ? chuchota Jyce. Son idée me plaît... Si on s'envolait pour Las Vegas aujourd'hui ? Demain, on ferait un saut chez mes parents, et on re-décollerait pour passer notre lune de miel en Angleterre.

Elle leva la tête vers lui, et le regarda d'un air surpris.

— En Angleterre ?

— N'est-ce pas là-bas que tu avais l'intention de préparer ton doctorat ?

— Mais, Jyce, le doctorat, c'est au minimum un an et demi ! Tu es ranger. Loin de moi l'idée de t'empêcher d'exercer ton métier !

Il hocha la tête.

— J'ai droit à une année sabbatique renouvelable pour une formation universitaire. J'aimerais m'initier à l'astrophysique pour mieux comprendre ton travail. Je suis certain que ton père pourra placer un étudiant de troisième cycle à l'observatoire, pendant ton absence... Mais, bien sûr, si l'idée ne te tente pas...

— Jyce, tu plaisantes ! J'ai simplement du mal à réaliser que ce n'est pas un rêve... que tu m'aimes à ce point.

— Tu ne sauras jamais à quel point je t'aime, Dana Turner... Allons prendre le petit déjeuner et annoncer la nouvelle à tes parents. Ensuite, je te prouverai que tu ne rêves pas.

Épilogue

Pendant que son mari était sous la douche, Dana lézardait au lit, laissant errer son regard dans la chambre pittoresque de leur petite auberge campagnarde des Midlands où ils avaient connu l'enchantement.

Demain matin, ils retourneraient à Londres et prendraient l'avion pour Austin. C'était la dernière nuit de leur lune de miel. Un mois qui resterait une précieuse parenthèse dans leur existence.

Quand elle vit sa silhouette d'homme émerger dans la pénombre, elle en trembla de désir, comme à la première nuit de leur passion.

Il jeta la serviette sur un fauteuil, se glissa dans le lit, et la prit dans ses bras.

— Tu es si douce, chérie, murmura-t-il. Tu es tout ce dont j'ai toujours rêvé, Dana.

Il posa sa bouche sur la sienne.

— Jyce ? J'aimerais te parler.

Elle sentit son corps se contracter tandis qu'il redressait la tête.

— Quelque chose ne va pas ?

— Qu'est-ce qui pourrait ne pas aller, Jyce ? Tout est si parfait, avec toi. C'est le paradis. Mais j'ai pris une décision dont je veux te parler maintenant.

Elle perçut un changement dans le rythme de sa respiration.

— Je t'écoute.

— Je n'ai plus envie de revenir préparer mon doctorat ici. Aucun professeur n'est plus brillant que mon propre père. Le diplôme en Europe était un rêve d'étudiante célibataire qui cherche l'aventure dans les pays lointains. Mais ce rêve-là me paraît bien pâle, depuis que je suis mariée avec toi.

— Dana…

— Laisse-moi finir. Pendant le reste de ma vie, je veux être ta femme aussi totalement que pendant notre lune de miel. Mais tu es un ranger, et tu dois reprendre ton travail, parce que personne ne l'accomplit mieux que toi.

La réponse de Jyce fut un baiser à la fois tendre et passionné.

— Je passerai mon doctorat à CalTech. J'étudierai pendant que tu travailleras. Et, dès que tu rentreras à la maison, nous serons ensemble : nous nous consacrerons l'un à l'autre. Qu'est-ce que tu en dis ?

La réponse à cette question fut encore plus satisfaisante que la précédente, car ils ne purent reprendre une conversation cohérente qu'une heure plus tard.

— Je crois t'entendre penser, murmura Jyce dans son cou. Tu as quelque chose à me demander ?

— Veux-tu vivre à Austin, près de ta famille ?

— Non, je préfère Alpine.

— Tu pourrais avoir une mutation ?

— Je réglerai ça avec Tom, dès notre retour.

— Oh, Jyce…

Elle roula sur lui.

— On achètera une maison. J'en ai tellement envie, depuis si longtemps !

— Et si on entreprenait tout de suite une procédure d'adoption ?

— Oh oui… Depuis que Randall a appelé pour nous dire que Consuela avait été libérée et qu'elle avait repris sa petite Rosita, je ne pense qu'à ça. Ce sera tellement excitant d'aménager la nursery…

Il lui mordilla tendrement le lobe de l'oreille.

— Tout est excitant avec toi. Notre fille grandira en apprenant le nom de toutes les planètes.

— Et nos garçons deviendront ranger, comme leur père. A propos, comment es-tu devenu ranger ?

— Eh bien, d'abord, j'ai eu un aïeul ranger, avant la guerre de Sécession. On m'a donné son prénom. Je suppose que ça m'a trotté dans la tête… Ensuite, quand j'avais dix ans, mon chien Mutley s'est fait écraser par une voiture. Un ranger qui passait par là m'a emmené avec lui chez le vétérinaire. Mutley est mort. J'étais inconsolable, jusqu'à ce que le ranger, qui s'appelait Gibb Barton, m'apporte un chiot à la maison.

Dana lui déposa un baiser sur chaque paupière.

— On est restés amis, tous les deux, et j'ai eu envie de faire le même métier que lui. Plus tard, j'ai passé ma licence en criminologie, puis je suis allé à l'académie de police. De là, j'ai monté les échelons pour devenir un ranger comme mon vieil ami Gibb.

Dana le serra dans ses bras.

— Quel beau geste il avait eu pour toi !

— Oui, répondit Jyce d'une voix rauque. Comme le disait Pat, Gibb nous sourit en ce moment même, et il nous fait un clin d'œil. J'ai l'impression de l'entendre me dire : « Quel beau geste j'ai eu de mourir pour que vous soyez là tous les deux ! »… Dana ? Je me demande ce que je serais devenu si tu n'étais pas entré dans ma vie.

— Je me pose la même question en ce qui me concerne, capitaine Riley. Il serait peut-être temps d'accepter d'être heureux ?

— Pour l'éternité ?

— Oui. Il faudra que tu regardes au télescope pour avoir une idée de ce que ça représente.

Une famille formidable, par Carol Finch - n°12

Qui a dit que les parents étaient des gens *raisonnables* ? Pour Janna, malgré ses vingt-huit ans bien sonnés, on est loin du compte. Car ses parents semblent atteints d'une crise d'adolescence aiguë. Sa mère a décidé de devenir une femme d'affaires impitoyable, pendant que son père batifole avec Georgina, la mère de Grant. Grant... Son meilleur allié dans cette histoire de fou. Si seulement il ne lui plaisait pas autant, elle aurait moins de mal à échafauder des plans tordus pour réconcilier ses parents. Mais Grant est diablement sexy, en plus d'être attentionné, doux, compréhensif... bref irrésistible !

Chère lectrice,

Vous nous êtes fidèle depuis longtemps?
Vous venez de faire notre connaissance?

C'est pour votre plaisir que nous avons
imaginé un rendez-vous chaque mois
avec vos auteurs préférés, vos
AUTEURS VEDETTE dans les
collections Azur et Horizon.

Les AUTEURS VEDETTE vous
donneront rendez-vous pour de
nouveaux livres vedette.

Pour les reconnaître, cherchez
l'étoile... Elle vous guidera!

Éditions Harlequin

HARLEQUIN

LE FORUM DES LECTEURS ET LECTRICES

CHERS(ES) LECTEURS ET LECTRICES,

VOUS NOUS ETES FIDÈLES DEPUIS LONGTEMPS?

VOUS VENEZ DE FAIRE NOTRE CONNAISSANCE?

SI VOUS AVEZ DES COMMENTAIRES, DES CRITIQUES À
FORMULER, DES SUGGESTIONS À OFFRIR, N'HÉSITEZ
PAS… ÉCRIVEZ-NOUS À:
       LES ENTERPRISES HARLEQUIN LTÉE.
       498 RUE ODILE
       FABREVILLE, LAVAL, QUÉBEC.
       H7R 5X1

C'EST AVEC VOS PRÉCIEUX COMMENTAIRES QUE NOUS
ALLONS POUVOIR MIEUX VOUS SERVIR.

DE PLUS, SI VOUS DÉSIREZ RECEVOIR UNE OU
PLUSIEURS DE VOS SÉRIES HARLEQUIN PRÉFÉRÉE(S)
À VOTRE DOMICILE, NE TARDEZ PAS À CONTACTER LE
SERVICE D'ABONNEMENT; EN APPELANT AU
(514) 875-4444 (RÉGION DE MONTRÉAL) OU 1-800-667-4444
(EXTÉRIEUR DE MONTRÉAL) OU TÉLÉCOPIEUR
(514) 523-4444 OU COURRIER ELECTRONIQUE:
AQCOURRIER@ABONNEMENT.QC.CA OU EN ÉCRIVANT À:
       ABONNEMENT QUÉBEC
       525 RUE LOUIS-PASTEUR
       BOUCHERVILLE, QUÉBEC
       J4B 8E7

MERCI, À L'AVANCE, DE VOTRE COOPÉRATION.

BONNE LECTURE.

HARLEQUIN.

VOTRE PASSEPORT POUR LE MONDE DE L'AMOUR.

COLLECTION HORIZON

Des histoires d'amour romantiques qui vous mènent au bout du monde!

Découvrez la passion et les vives émotions qu'apportent à la Collection Horizon des auteurs de renommée internationale!

Captivantes, voire irrésistibles, ces histoires d'amour vous iront assurément droit au coeur.

Surveillez nos quatre nouveaux titres chaque mois!

La COLLECTION AZUR

Offre une lecture rapide et

- ☑ stimulante
- ☑ poignante
- ☑ exotique
- ☑ contemporaine
- ☑ romantique
- ☑ passionnée
- ☑ sensationnelle!

COLLECTION AZUR... des histoires
d'amour traditionnelles qui vous
mènent au bout du monde!
Six nouveaux titres chaque mois.

69 L'ASTROLOGIE EN DIRECT
TOUT AU LONG
DE L'ANNÉE.

(France métropolitaine uniquement)
Par téléphone 08.36.68.41.01
0,34 € la minute (Serveur SCESI).

Composé et édité
PAR LES ÉDITIONS HARLEQUIN
Achevé d'imprimer en mai 2003

BUSSIÈRE
GROUPE CPI

à Saint-Amand-Montrond (Cher)
Dépôt légal : juin 2003
N° d'imprimeur : 32372 — N° d'éditeur : 9916

Imprimé en France